Littérature d'Amérique

Un peu de fatigue

Du même auteur

Le Principe du Geyser, roman, Montréal, collection QA compact, Québec Amérique, 1996.

L'Avaleur de sable, roman, Montréal, collection QA compact, Québec Amérique, 1993.

Stéphane Bourguignon

Un peu de fatigue

roman

QUÉBEC AMÉRIQUE

Données de catalogage avant publication (Canada)

Bourguignon, Stéphane

Un peu de fatigue

(Collection Littérature d'Amérique)

ISBN 2-7644-0191-4

I. Titre. II. Collection.

PS8553.O855U56 2002 jC843'.54 C2002-941603-5
PS9553.O855U56 2002
PQ3919.2.B68U56 2002

Nous reconnaissons l'aide financière du gouvernement du Canada par l'entremise du Programme d'aide au développement de l'industrie de l'édition (PADIÉ) pour nos activités d'édition.

Gouvernement du Québec – Programme de crédit d'impôt pour l'édition de livres – Gestion SODEC.

Les Éditions Québec Amérique bénéficient du programme de subvention globale du Conseil des Arts du Canada. Elles tiennent également à remercier la SODEC pour son appui financier.

L'auteur tient à remercier le Conseil des Arts et des Lettres du Québec ainsi que le Conseil des Arts du Canada.

Québec Amérique
329, rue de la Commune Ouest, 3e étage
Montréal (Québec) Canada H2Y 2E1
Tél.: (514) 499-3000, Téléc.: (514) 499-3010

Dépôt légal: 4e trimestre 2002
Bibliothèque nationale du Québec
Bibliothèque nationale du Canada

Mise en pages: Andréa Joseph [PAGEXPRESS]
Révision linguistique: Diane Martin

« Les êtres humains se tuent ; il faut aussi qu'ils s'unissent.
Cela presse. »

J. Lusseyran

« *I'm no fucking buddhist…* »

Björk

À vingt ans, je rêvais d'une alcôve secrète où j'irais rejoindre une femme mature avec des seins, des fesses et un ventre généreux. Un paradis où on laisse sa tête au vestiaire et son cœur au réparateur. Aujourd'hui, j'irais voir cette femme, je ferais l'amour avec elle – en admettant que je réussisse à avoir une érection – et, aussitôt que ce serait fini, je recommencerais à tourner en rond comme un chien inquiet. J'ai quarante et un ans et je suis en pleine dégringolade. Je roule vers la rivière comme un cadavre gênant enroulé dans un tapis persan (qu'on va tout de même regretter un peu).

PREMIÈRE PARTIE

1

Michel a laissé s'installer son sourire de zinc. Une sorte de blindage lustré, presque lumineux, derrière lequel il allait se réfugier quand les balles se mettaient à siffler.

— T'en fais pas, m'a-t-il répondu, on est tous comme toi, on a tous nos moments. Tu sais ce qu'on devrait faire ? Descendre dans la rue et traverser la ville le majeur dressé bien haut dans les airs !

J'ai ri. J'ai ri puis j'ai pris une grande gorgée de vin. Les deux choses qui m'allumaient encore un tant soit peu. Quoique rire, je commençais à trouver ça de plus en plus chiant.

— « Descendre dans la rue », t'es un petit comique, toi. Je suis pas en train de te parler de la précarité de l'emploi ou des coupures dans le système de santé !

Chaque fois que je discutais avec lui, peu importe le sujet, nous nous retrouvions les mains à plat sur la table et les yeux exorbités. Si on avait pris la peine de réduire ces scènes à leur plus simple expression, on aurait recueilli le concentré d'un sempiternel affrontement entre un colosse qui refuse de regarder la vie en face et son plus vieil ami, un observateur du désastre.

Simone est sortie des toilettes et elle est venue se rasseoir à ma gauche. Elle m'a tapoté la cuisse. Je l'ai regardée longuement, ses yeux rassurants, son corps chaud et lourd… et j'ai recommencé à respirer.

Rire. Boire du vin. Regarder Simone.

— Ben alors, a repris Michel, de quoi tu parles?

— Je te parle de l'être humain. Tu te souviens, l'être humain? Le grand singe prétentieux? L'orang-outan rasé de près? Quand je le regarde en face, avec sa mesquinerie et sa lâcheté, j'ai envie de m'envoyer une balle entre les yeux. Ou de me déguiser en chien, tiens.

Il a regardé Simone puis Claire, sa femme, en levant ses grands bras au ciel.

— Quelqu'un peut me traduire tout ça en français?

Claire, qui avait depuis toujours adopté la voie de la neutralité, a simplement haussé les épaules. Michel s'est penché vers moi, la bouche un rien tordue.

— Tu nous refais le numéro du misanthrope, Eddy?

Toutes ces années, chaque fois que j'avais essayé de lui faire voir le vrai visage de l'Homme, je m'étais senti comme un guide touristique chargé d'un groupe d'aveugles. Je pouvais bien décrire telle ou telle faillite de l'humanité, telle ou telle preuve de notre insignifiance, il n'arrivait jamais à s'en faire une idée plus qu'approximative. Autrement dit, Michel avait la faculté de tomber en pâmoison devant un paysage peint en trompe-l'œil sur une toile de dix mètres carrés et d'ignorer tout simplement qu'à l'arrière, en direct, des cadavres basculaient dans des charniers.

— Toi, t'es pas opticien pour rien, lui ai-je dit, tu vois vraiment clair en tout. Le malheur, c'est que tu lèves jamais les yeux de ton nombril.

—Chaque fois que je t'invite à la maison, tu finis par nous faire chier. C'est quand même extraordinaire! Explique-moi comment tu t'y prends.

Je me suis levé et j'ai glissé ma chaise sous la table. Simone n'a pas remué le petit doigt.

—Qu'est-ce que tu fabriques? a lancé Michel.

J'ai traversé la salle à manger alors qu'il prenait les filles à témoin.

—Mais qu'est-ce qu'il fait? Qu'est-ce que j'ai dit?

Simone me suivait des yeux avec son sourire un peu triste.

—Je pense que je vais rentrer, ai-je dit.

C'est à ce moment-là que Claire s'est opposée. Comme le phénomène était assez rare, je me suis arrêté net.

—Tu vas pas t'en aller comme ça, pas avant le dessert.

Claire est nutritionniste. Elle avait prévu un tas d'acides aminés dans la dernière partie du repas. Comment pouvais-je lui faire un coup pareil? Michel m'a souri en hochant la tête. Sa gueule avait retrouvé cet éclat métallique que je n'arrivais pas à expliquer. Il a fondu sur moi, il m'a pris à bras-le-corps et m'a soulevé dans les airs.

—Je t'aime, Eddy! Demande-moi pas pourquoi, mais je t'aime.

Il a plaqué ses grosses lèvres humides sur ma joue avant de me laisser regagner la terre ferme. J'ai replacé mes vêtements, j'ai essuyé mon visage. Les filles riaient, Simone en remplissant les verres, Claire en empilant les assiettes. Tout venait de rentrer dans l'ordre; Michel avait décrété qu'on pouvait reprendre le car et poursuivre notre tour guidé de la surface des choses. J'ai regagné ma place, les sourcils froncés à m'en boucher la vue.

—Et arrête de m'appeler Eddy, s'il te plaît.

2

Un calme sourd déferlait dans les rues. Le ciel se tendait comme un arc et ça sentait l'orage à plein nez. La synchronisation des feux étant parfaite, je roulais lentement, silencieusement, de manière à ne rien déclencher. Filer comme un sous-marin à piles dans l'air gris et liquide de la nuit.

Simone, tournée vers la fenêtre, regardait défiler des chapelets de cottages et de bungalows en pensant à je ne sais quoi. Peut-être au calme qui régnerait à la maison, à toutes ces heures qu'elle égrènerait dans son fauteuil de lecture, à sa vie, déroulée sous ses yeux, enluminée, comme il arrive parfois quand les vents sont favorables et le vin clément.

La lueur de chaque réverbère venait lui polir le visage. J'aurais roulé des jours, comme ça, à proximité de son corps tranquille, de la tristesse qu'elle portait sur son cœur comme un legs familial, comme une chaîne précieuse qu'on se passe de mère en fille. Quand j'ai immobilisé la voiture, elle a glissé ses yeux jusqu'aux miens. Voilà, me suis-je dit, elle va s'activer, elle va contracter ceci, soulever cela pour venir poser ses lèvres chaudes sur ma joue et m'abandonner.

Elle s'est dirigée lentement vers la maison. J'aurais accepté un café, un verre d'eau, j'aurais gardé la porte, couché en boule sur le paillasson. Elle a esquissé un petit signe de la main puis elle est disparue.

Il n'était pas encore minuit. J'avais vingt minutes de route devant moi et c'était nettement insuffisant. J'ai traîné les pieds jusqu'à la sortie dix mille, jusqu'à cette banlieue magistralement dortoir où l'on dansait, le jour, au rythme des tondeuses à gazon et dormait, la nuit, porté par le ronron des filtres de piscine.

Le vent s'était levé durant le trajet. Je le voyais tourmenter le sorbier d'Amérique que Véronique, ma femme, m'avait offert pour mes trente ans. Ses grappes de fruits, même immatures, alourdissaient ses branches et les plus graciles d'entre elles ployaient dramatiquement. La haie de cèdres qui longeait le stationnement était parcourue d'ondes aux fréquences et aux amplitudes variées, comme brossée par une gigantesque main invisible. Un éclair fabuleux a tiré une ligne tortueuse dans le ciel et le tonnerre a retenti quelques secondes plus tard.

J'ai ouvert la porte-fenêtre et je suis tombé sur deux de mes valises. Je les ai soulevées pour voir si mes soupçons étaient fondés. Ils l'étaient. Je n'ai pas compris tout de suite que le sol venait de se dérober sous mes pieds. En fait, je n'ai rien éprouvé, rien ressenti, rien pressenti.

Mon fils était allongé sur le divan, les yeux fermés. Je l'ai observé quelques instants en regrettant qu'il n'ait plus cet âge tendre où il est encore émouvant de les regarder dormir. Cet âge fabuleux où chaque drame et chaque joie dégagent leur pesant d'émotion pure et précise, nette et découpée ; où la colère est de la colère brute, non amalgamée avec des bons sentiments ou du savoir-vivre ; où la tristesse est celle d'avant la pudeur, d'avant la peur du ridicule ; où la joie explose dans le cœur avec tant de puissance que le corps tout entier s'en trouve secoué.

C'était un jeune homme assez frêle. À une certaine époque, j'aimais dire à la blague qu'il avait un peu trop fréquenté sa mère, mais depuis que j'en avais acquis la certitude, je ne plaisantais plus à ce sujet. J'ai pensé aux valises et j'ai imaginé, furtivement, que le fils chéri était rentré à la maison et que, fatigué par son long voyage, il s'était endormi sur le divan en attendant son père. Cette idée m'a arraché un sourire.

J'ai appuyé sur le bouton de la télécommande et la télévision a ouvert son œil sur la chaîne des informations. Étonné, j'ai regardé mon fils. J'avais du mal à croire qu'il avait abandonné sa chaîne de *video jockeys* pubères pour qui le monde est un machin truc *full hip*, pour syntoniser un canal qui s'abreuve à même la réalité.

Il a émergé de son sommeil à ce moment-là. Il s'est redressé puis il a consulté sa montre. J'ai attaqué :

— Tu m'attendais ? C'est gentil. Devine ça fait combien d'années qu'on m'a pas attendu, comme ça, pour prendre un dernier verre ?

Il n'avait pas envie d'entendre mes histoires, c'était clair et limpide. Il s'est frotté le visage en espérant que son sang allait se remettre à circuler. Projet ambitieux, ai-je pensé.

— Six ans. Alors imagine le plaisir que tu me procures. Qu'est-ce que tu m'offres ?

Il s'est levé et il a replacé ses cheveux dans une suite de gestes aussi complexes que ridicules.

— Bon, dans ce cas-là, je vais me servir tout seul. Mais compte pas sur moi pour te ramener quelque chose.

Ça faisait des mois que la maison ressemblait à une zone de combat. Le temps était venu de sauter à pieds joints sur quelques mines antipersonnel – n'importe quoi pour écouler cette maudite nuit. J'ai trottiné comiquement jusqu'à la cuisine et j'ai pris la bouteille de vodka dans le congélateur. Il est venu s'appuyer contre le cadre de la porte pour me demander si j'avais remarqué les valises dans l'entrée.

— Oui. Dis donc, elles ressemblent comme deux gouttes d'eau aux miennes.

— T'inquiète pas, tu vas les ravoir.

À cause des trois ou quatre centimètres qu'il avait de plus que moi, je le soupçonnais de ressentir une légère supériorité quand nous nous affrontions. Elle venait probablement confirmer l'idée plus redoutable encore que sa mère avait réussi à lui insérer sous le crâne et qui consistait à considérer l'ensemble de mon œuvre comme un échec.

— T'aurais pu m'en parler avant.

— C'est maman qui m'a suggéré de pas le faire.

J'ai tout de suite su pourquoi. Je me suis demandé si lui, au moins, en avait une vague idée ou s'il avait tout bêtement servi le petit jeu de sa mère.

— Je pense que c'est mieux comme ça, a-t-il ajouté.

Oui, bien sûr, tout est toujours mieux comme ça. Jusqu'au jour où on constate que tout aurait été mieux autrement. Il a quitté le cadre de la porte pour aller s'appuyer contre la porte-fenêtre. Malgré toute l'énergie que lui conféraient ses dix-huit ans, s'il laissait un appui, ce n'était que pour en trouver un autre, le plus près et le plus vite possible. Je lui ai offert de sauter dans la voiture et d'aller le reconduire, mais il préférait attendre son copain.

— On est censés aller boire un verre. Luc va me laisser chez maman après.

Maman. Chaque fois que ce mot prononcé bien proprement, en deux syllabes bien distinctes, sortait de ce grand efflanqué, il fallait que je me retienne à deux mains pour ne pas l'y retourner de force.

J'ai sorti un deuxième verre de l'armoire, j'ai saisi la bouteille et je suis passé du côté de la salle à manger en l'invitant à venir fêter son départ. Il a regardé sa montre avant de jeter un œil dehors. J'ai compris que, si son copain avait fini son quart de travail plus tôt, la maison aurait été vide à mon arrivée. Je n'aurais eu qu'une lettre de sept ou huit mots pour m'accompagner dans cette nuit interminable. Sept ou huit mots, ça ne pèse pas bien lourd quand vous avez consacré dix-huit ans de votre vie à quelqu'un.

Il est dur d'expliquer avec précision ce que je ressentais à ce moment-là. Il y avait cette scène qui se jouait dans la salle à manger, entre mon fils et moi, et parallèlement un tout autre film défilait en moi, dans un endroit sombre et creux, et cette intrigue qui se nouait un peu à mon insu ne viendrait à ma conscience que beaucoup plus tard. Tout comme sa résolution d'ailleurs.

J'ai rempli nos verres. Les seuls moments où je pouvais boire un coup avec mon fils, c'est quand il avait des reproches à m'adresser. Dans ces circonstances, j'arrivais toujours à le convaincre de s'asseoir avec moi quelques instants. La culpabilité, probablement. Et même si ce n'était pas une partie de rigolade, ces secondes passées en sa compagnie étaient ce qui se rapprochait le plus des visions idylliques que j'avais projetées pour lui et moi une fois qu'il aurait atteint l'âge adulte.

Il n'y avait rien à ajouter. La plupart de ses activités se concentrant dans la métropole, mon fils trouvait la vie de banlieue plus ou moins adaptée à ses besoins. Et comme j'étais censé le savoir, il n'aimait pas tellement être aperçu dans mon vieux tacot. Je n'ai pas pu m'empêcher de sourire, n'ayant jamais pris conscience à quel point cela l'humiliait de se balader cinq soirs sur sept, une semaine sur deux, dans ma bagnole. Mais, surtout, je crois que je souriais d'admiration devant son tact et sa délicatesse. Malheureusement, il a vite regretté de m'avoir ménagé et il s'est engagé à petits pas imprudents sur notre terrain miné.

— De toute manière, tu veux me dire ce que ça change pour toi que je sois là ou pas?

— Est-ce que t'as déjà manqué de quelque chose?

— Des objets, de la bouffe, du linge, non, c'est vrai, pour ça j'ai manqué de rien.

— Je me souviens d'une époque où on s'entendait plutôt bien…

— Avant ou après le départ de maman?

Cet événement était le fondement de notre calendrier, l'an un de notre civilisation. Au moment de notre séparation, Maxime revenait toujours chez moi avec grand plaisir et nous coulions des jours tranquilles dans une complicité qui faisait souvent envie. Puis, lentement, alors qu'il prenait de l'âge, il a commencé à reconnaître que je n'étais pas comme tout le monde et qu'il était possible que ce soit de ma faute si notre famille s'était dissoute. J'ignorais quel était l'apport de sa mère dans cette révélation lente mais inexorable, je voyais seulement son comportement changer de semaine en semaine jusqu'à ce que cette formidable distance se soit installée entre nous et qu'aucun geste de ma part, aucune tentative ne réussisse à nous rapprocher plus que quelques instants.

J'ai commencé à espérer l'arrivée de Luc. Je savais que nous irions plus loin devant son copain; ce petit orgueil de mâle pouvait générer des miracles de temps à autre. J'ai senti alors une sorte de souffle tiède s'échapper de mon fils, comme s'il perdait peu à peu sa contenance, comme s'il baissait les bras. Il a hoché la tête en glissant les yeux vers le sol.

— Je te comprends pas, a-t-il laissé tomber. Je te jure, des fois tu me fais peur.

J'y ai vu une forme d'impuissance réconfortante. S'il n'arrivait pas à me comprendre et s'il l'avouait avec autant de confusion, c'est qu'il avait probablement essayé. J'ai eu envie de lui expliquer deux ou trois théories que j'avais élaborées sur mon cas, mais j'ai fermé ma gueule parce qu'il y a des vérités sur la vie qu'un enfant de dix-huit ans ne doit pas entendre. Et puis j'étais encore loin de tout savoir. Je sentais bien que je perdais le cap de quelques degrés depuis un moment, mais l'erreur était subtile. Ce n'est qu'avec le temps et la distance qu'on pourrait constater à quel point j'allais dériver.

C'est à ce moment-là que Luc a débarqué sur la terrasse. Dans le vent et la tourmente, et probablement à cause du choc de nous trouver ensemble, mon fils et moi, il a eu l'air un peu désemparé. Maxime a levé la tête, mais il n'a pas eu la force d'en faire davantage. C'est moi qui suis allé ouvrir. Luc s'est empressé de passer à l'intérieur alors qu'un coin de tempête claquait dans la pièce.

J'avais toujours eu une affection particulière pour ce garçon. Je pense, de même, qu'il me considérait comme un père rigolo.

— Vous allez prendre un dernier verre avec moi, quand même!?

Je suis passé à la cuisine sans attendre leur réponse. Quand je suis revenu, le fameux verre à la main, Maxime avait rejoint Luc, il avait empoigné les valises et tous deux s'apprêtaient à repartir. J'ai dû presser le pas afin de me faufiler entre eux et la porte. Je voyais ce vide qui m'attendait et j'en avais des sueurs froides. Ces sensations qui parcouraient ma peau, ces gouttes de transpiration qui roulaient sur mes flancs, je les considérais comme des échantillons de ce qu'il y aurait de l'autre côté. J'avais connu au cours de mon existence plusieurs départs qui chaque fois m'avaient arraché une partie bien vivante du cœur, je savais donc ce que le futur immédiat me réservait.

J'ai tendu la main vers mon fils, et juste l'idée d'avoir un contact physique avec moi a été suffisante pour le faire reculer. Je l'ai dirigé, comme ça, vers sa chaise, comme un aimant qui en repousse un autre.

— Juste un petit pour la route. Si je comprends bien, ça risque de prendre un sacré bout de temps avant qu'on se revoie.

Luc, plutôt disposé, s'est tourné vers Maxime ; il attendait son verdict.

— Un seul, a sifflé chichement mon fils.

Puis il a repris, à contrecœur il va sans dire, sa place devant moi. Luc, lui, s'est assis au bout de la table. J'étais entouré de la relève, de toute cette belle jeunesse qui aurait dû rêver de nous mettre ce satané monde sens dessus dessous mais qui avait plutôt opté pour des vêtements signés, des « prêts auto du manufacturier » et des téléphones cellulaires. J'ai rempli les verres et j'ai levé le mien à la nouvelle vie de mon fils.

L'heure était venue de passer aux choses sérieuses. Je savais ce que je cherchais et, à la limite, je n'avais même pas besoin de l'entendre. Mais ces mots qui lui brûlaient la langue, je voulais, pour son propre bien, qu'il les prononce. Je lui ai donc demandé pourquoi il ne pouvait plus sentir cette maison. À part le fait qu'elle était à l'extérieur de la ville, évidemment. Et à part le fait que le toit fuyait depuis quelques mois et que je m'opposais radicalement à sa réfection.

Il a serré les dents.

— Et à part le fait qu'on soit envahi par les araignées et que tu refuses d'appeler un exterminateur ?

— Oui, évidemment, à part nos amies les araignées.

Son poing s'est abattu sur la table avec une telle force que nos verres en ont tressauté. Incapable de dissimuler ma satisfaction, j'ai échappé un sourire. Maxime s'est levé, il a contourné la table et il m'a attrapé le bras. C'était le premier contact physique que nous avions depuis des mois – le jour de mon anniversaire il m'avait serré la main. Une veine palpitait sur sa tempe. Sa veine sportive, comme je l'avais baptisée quelques années auparavant. Il m'a forcé à me lever et il m'a entraîné vers la porte. Je l'ai suivi passivement, avec toute la bonté dont j'étais capable. Tout ce qu'il me restait de valable, je le lui réservais. Ça ne pesait pas bien lourd, j'en conviens, mais c'était ce que je pouvais faire de mieux.

Nous sommes sortis sur la terrasse arrière. Il a balayé le terrain d'un geste de la main.

— Regarde.

Il ventait épouvantablement fort, il a dû reprendre en criant.

— Regarde !

— Oui, oui, je regarde, c'est magnifique.

— Qu'est-ce que tu vois ?

— Le terrain, Maxime, notre jardin.

— Ça fait combien de temps que t'as rien touché ?

— Six ans, pourquoi ?

Il est retourné à la porte et il a passé une main à l'intérieur afin d'appuyer sur l'interrupteur. Le réseau d'éclairage sophistiqué que j'avais installé jadis nous a illuminé toute cette jungle par en dessous. Les arbres, les arbustes, les plates-bandes, les rocailles, les mauvaises herbes, les feuilles mortes, les fleurs mortes, les branches mortes, je n'avais rien touché en six ans. Tout ce que j'avais mis des années à organiser, chaque mètre carré que j'avais patiemment aménagé, je l'avais laissé à l'abandon. Aujourd'hui, nous avions sous les yeux un spectacle d'une réelle beauté : une zone de combat où s'affrontaient et se succédaient les différentes espèces de pleine lumière, de lumière et d'ombre. La vie.

Maxime a demandé à Luc s'il savait pourquoi nous n'avions pas besoin de stores dans cette maison. Luc connaissait la réponse, tout le monde, tous ceux qui passaient dans cette rue la connaissaient, mais Maxime ne lui a pas laissé le temps de se prononcer. Il s'est tourné vers la maison et il a gueulé que cette maudite vigne était en train de nous étouffer. Depuis que j'avais interdit qu'on la taille, pas une seule fenêtre n'avait échappé à sa progression.

— Tu sais que mon père a levé la main sur moi une seule fois au cours de toute ma vie ? Veux-tu savoir à quelle occasion ?

Luc m'a regardé comme s'il attendait ma permission. J'ai haussé les épaules, navré qu'il ait à subir ça. Quelques mois auparavant, j'avais surpris Maxime, la faux à la main, dans la cour arrière. Je l'avais observé de la fenêtre de ma chambre pendant un moment. Je voyais ses gestes amples et les gerbes d'herbes et de fleurs fuser dans l'air chaque fois que la lame s'abattait. Et j'avais hésité. Une voix en moi, je l'avais bel et bien entendue, avait dit « oui, c'est ça, Maxime, coupe, rase, remets tout à neuf et sauve-moi ». Mais plus il progressait, plus l'angoisse m'étreignait. Qu'est-ce que je devrais faire de ce terrain après coup ? Quel sens devrais-je lui donner ? Finalement j'avais déboulé l'escalier, j'avais passé la porte et je lui avais mis mon pied au cul.

— Dis donc, Luc, pendant qu'on y est, je voudrais avoir ton avis sur un truc : qu'est-ce qui est le plus apeurant, un type qui entretient pas sa pelouse ou un fils qui déteste son père ?

Maxime s'est tourné vers moi, les poings serrés à s'en planter les ongles dans les paumes. Je l'ai laissé s'approcher parce que c'était mon fils et qu'il n'y avait rien de plus important au monde. La vérité, c'est qu'il avait honte de rentrer ici chaque soir. Cette maison criait « je ne suis pas comme tout le monde et je vous emmerde ». À dix-huit ans, ce n'était pas ce que mon fils avait envie qu'on entende de lui. Et je pouvais le comprendre, ayant passé une partie de mon enfance à tout mettre en œuvre pour que la maison que j'habitais avec mon père n'éveille aucun soupçon.

Il m'a demandé si je savais ce que les gens disaient de moi aux alentours, ce qu'il avait eu comme écho alors qu'il fréquentait encore l'école secondaire ou ce qu'il avait saisi à la volée au magasin du coin.

— Non, je suis pas tellement attentif aux racontars. Peut-être que je devrais l'être davantage.

— Ils disent que t'as quelques fusibles de sautés, que c'est exprès que t'éloignes tout le monde. Alors, tu vois, c'est un peu pour tout ça que j'ai hâte de m'en aller. J'aurais voulu un père comme tous les autres, mais je suis tombé sur un égoïste trop centré sur lui-même pour s'apercevoir qu'il fait du tort à tout son entourage.

Pour la première fois, tout avait été dit. Je n'avais pas les mots qu'il fallait pour lui expliquer qu'un jour il me remercierait peut-être de ne pas céder au chantage ambiant. Ce genre de leçon, même si ce n'était pas spécifiquement le but de l'exercice, avait toutes les allures d'un quitte ou double : elle pouvait aussi bien éloigner mon fils à jamais comme lui venir en aide plus tard alors qu'il tenterait comme moi de trouver un sens réel à sa vie. J'ai tourné autour de lui, lentement, en le détaillant des pieds à la tête, et je lui en ai expédié une fameuse derrière la tête.

— Va dans ta chambre, ai-je lancé, tu sortiras quand t'auras réfléchi.

Il m'a regardé quelques secondes avec son air dédaigneux qu'ils se passaient de génération en génération du côté maternel. Le vent plaquait ses cheveux sur son front par à-coups.

— Tu veux un père normal ? Ben c'est ce qu'ils font, les pères normaux, quand leurs fils se comportent en trou du cul.

Il n'a pas répondu. Il a descendu le petit escalier de bois et il a pris la direction des voitures. Luc a ricané discrètement jusqu'à ce que mon fils lui fasse signe de s'amener. Alors il a ramassé les deux valises et il m'a salué au passage.

— Prends bien soin de lui, Luc.

Au bout du petit trottoir de ciment, ils ont gagné le stationnement et ils ont quitté, l'un après l'autre, mon champ de vision.

J'ai traversé quelques mètres d'herbes folles, j'ai franchi l'arceau de bois et j'ai emprunté ce qui avait été jadis une allée de gravier en écartant délicatement les jeunes peupliers baumiers, les faux-trembles et les bouleaux gris qui commençaient, depuis quatre ans, à coloniser cette partie du jardin. J'aimais ces arbres. J'en aimais l'allure générale, mais j'en aimais davantage le destin tragique. Ce sont les premiers à venir s'installer dans les terrains découverts, et, au fur et à mesure qu'ils grandissent, leur ombrage empêche leur propre régénération.

La pluie a brusquement commencé à tomber. J'ai piqué à droite et j'ai franchi un massif d'annuelles qui m'avait coûté bon an mal an près de trois cents dollars – et qui n'était plus qu'une immense touffe de chiendent – et je me suis dirigé vers le grand pin, seul arbre d'origine ayant survécu au passage des bulldozers au moment de la construction du quartier. Je me suis allongé dessous, sur le magnifique tapis d'aiguilles qui agrandissait son cercle d'année en année.

Ça faisait une éternité qu'il n'avait pas plu. J'aurais aimé saisir la première bouffée de terre mouillée qui s'élèverait ou le parfum à la fois âcre et sucré des fleurs pourries que la pluie réveillerait, mais il ventait si fort que toutes les odeurs m'arrivaient pêle-mêle, en une sorte de bouquet confus.

J'ai regretté de ne pas avoir apporté la bouteille de vodka. Tous les éléments étaient en place pour créer un instant parfait. Cette pluie sous ces vingt-cinq degrés, cette douce odeur de décomposition et ce vide dans ma tête, ce fabuleux vide, celui pour lequel j'aurais soldé ma vie. Si seulement j'avais eu la présence d'esprit d'apporter cette maudite bouteille, j'aurais crevé de joie !

Je me suis levé. En passant près d'un jeune noisetier, j'ai eu comme un vertige. De ceux qui nous prennent à bras-le-corps quand on ressent avec un minimum d'acuité l'étendue de l'univers qui nous contient, ces trois cents milliards de galaxies. J'éprouvais une telle lassitude que j'en titubais. C'était probablement ma grosse fatigue, comme se plaisait à le dire – ou à le réduire – Michel en parlant de mon écœurement consommé.

Il pleuvait d'interminables cordes et le vent faisait valser le décor avec une sorte de mépris colonial. J'ai repris le chemin de la maison. Vingt ans pour rien, ai-je pensé en m'essuyant le visage avec la main. Vingt maudites années.

3

Je n'ai pas pris la peine d'ouvrir la fenêtre, j'ai soulevé la chaise de mon fils et je l'ai balancée au travers de la vitre. Elle est tombée sur le trottoir de ciment, au pied de la terrasse arrière, un étage plus bas, dans une averse d'éclats de verre. Magnifique. La table de chevet l'a suivie de peu, et, mieux encore, elle s'est complètement disloquée en touchant le sol. À cet égard, la chaise m'avait un peu désappointé.

La matinée était superbe, le mercure devait atteindre les vingt-six degrés. J'étais dans un état de détente plutôt impressionnant compte tenu des circonstances. Il ne restait plus que la commode et le lit, mais quelque chose me disait que j'allais étendre ce petit ménage d'été aux autres pièces de la maison. La grande sérénité…

J'ai considéré la commode avec un sourire amusé. Elle était trop costaude pour connaître le même sort que ses consœurs. Ça ne passait tout simplement pas. J'aurais bien aimé arracher le cadre de la fenêtre en chemin et même un morceau de mur tant qu'à y être, mais je n'étais pas convaincu de pouvoir soulever le meuble d'un bloc. Tout en réfléchissant à la stratégie à adopter, j'ai arraché les affiches qui ornaient les murs, je les ai chiffonnées et je les ai expédiées en bas avec grâce.

Il n'y avait pas trente-six solutions. J'ai commencé par faire planer les six tiroirs du mastodonte, un par un, en y mettant de plus en plus de vigueur. À un point tel que le dernier morceau a franchi plus de cinq mètres avant d'atterrir au pied d'un caryer cordiforme que j'avais planté là un peu par dépit, je dois l'avouer, souhaitant en fait y mettre un aulne rugueux, mais n'ayant pas envie d'aller à l'encontre des zones de rusticité.

J'ai descendu les marches, j'ai contourné le plateau de la table de travail et les deux chevalets que j'avais balancés du haut de l'escalier un peu plus tôt et je me suis dirigé vers la porte-fenêtre. La cabane de jardin était la réplique exacte de la maison. Je l'avais construite de mes propres mains et, humblement, je dois dire qu'elle était en meilleur état que l'originale. J'ai poussé la porte et j'ai ramassé la hache.

Qu'est-ce qui m'attendait au bout de tout ça ? Qu'est-ce que je trouverais dans le creux de cette solitude ? Jusqu'où étais-je prêt à aller ? Je finirais peut-être enroulé sur moi-même comme un vieux chien arthritique au milieu d'une maison vide. Quand ils viendraient me chercher, quand ils débarqueraient sur la terrasse avec leur compassion de paperasses administratives, troublés par tous ces meubles qui jonchaient la cour, par ces plantes rampantes, ces mousses et ces champignons régnant en maîtres sur le territoire, et qu'ils feraient voler la porte en éclats, je ne lèverais peut-être même pas le museau.

Le fait de savoir que la commode était en pin blanc me donnait un avantage psychologique. J'ai écarté les jambes, j'ai soulevé la hache au-dessus de la tête et j'ai frappé de toutes mes forces. La lame s'est enfoncée dans le panneau supérieur jusqu'à la garde, mais c'est tout, le reste de la structure n'a pas bronché. Ces maudits Suédois savaient ce qu'ils faisaient.

Au deuxième coup, cependant, les parois latérales ont commencé à montrer des signes de fatigue. J'ai frappé encore. Et encore. Finalement les chevilles de bois ont cédé, les vis ont déchiré la chair et le meuble s'est livré. Il régnait une belle odeur de sciure dans la chambre. J'ai fini de démembrer l'objet à la main et, un à un, j'ai envoyé planer les morceaux par la fenêtre. Ne restait plus que le lit.

— Ohé ! Tu fais du ménage, Édouard ?

J'ai regardé dehors. Ma femme se tenait debout devant le gâchis, mes deux valises à la main. Elle portait une jupe longue et un tricot blanc, sans manches. Elle était resplendissante. À cause des valises, un promeneur innocent aurait pu croire qu'elle revenait à la maison. Mais il aurait fallu qu'il soit vraiment innocent.

— Tu déplaces les meubles ?

Peu après notre séparation, elle m'avait lancé que ce n'était qu'une question de temps, qu'un jour ou l'autre mon fils comprendrait quelle sorte de père j'étais. Aujourd'hui, elle avait le sourire triomphal.

Je ne voulais plus de ces valises.

— Jette-les sur le tas, lui ai-je dit.

De toute façon, je ne voyais pas à quoi elles pourraient me servir. Il y avait un bon moment que je ne voyageais plus. Depuis, en fait, que j'avais raté un départ pour l'Italie.

— C'est la grande forme, si je comprends bien. Je peux quand même te parler un instant ?

Le moment était mal choisi. Je carburais à la colère et à l'anxiété depuis plusieurs heures déjà et j'avais peur, en prenant le temps de m'arrêter, que la fatigue, l'immense fatigue que je chassais à répétition comme une mouche insistante, me rattrape finalement. En passant devant le miroir de l'entrée, j'ai aperçu un homme d'une quarantaine d'années, ni lavé ni rasé et qui n'avait pas dormi depuis trente heures.

Je me suis arrêté devant la porte-fenêtre et nous nous sommes regardés quelques instants. Nous avions l'air de deux spécimens d'espèces différentes qui s'observent avec curiosité, chacun dans son bocal, sur l'étagère d'une animalerie. C'est elle qui a ouvert et je me suis aussitôt écarté de son chemin.

Chaque fois qu'elle mettait le pied dans la maison, elle arrivait à y retrouver sa place. Elle refaisait les mêmes gestes qu'elle avait faits durant toutes ces années – comme si elle marchait dans ses propres traces – et la maison redevenait sa propriété. Quelques pas rapides pour contourner la table, un arrêt bref avant de passer à la cuisine, une jupe qui vole au détour et tout lui appartenait de nouveau. Et chaque fois, il s'en fallait de peu pour que moi aussi je retombe sous son ascendant. Après son départ, je devais relever mes manches et reconquérir mètre par mètre mon territoire. C'était très agaçant.

Depuis notre séparation, elle n'était plus tout à fait elle-même. Elle qui avait, avec les années, cultivé une force de caractère remarquable, un sang-froid à faire pâlir de jalousie certains reptiles, se retrouvait maintenant à la merci des fluctuations émotionnelles qu'occasionnait ma présence. En d'autres mots, il lui arrivait de perdre le contrôle.

D'entrée de jeu, elle a précisé qu'elle était dangereusement en forme. Elle m'a envoyé ça en secouant la tête de gauche à droite comme ces filles dans les publicités de revitalisants capillaires. Mais en moins naturel, comme si c'était possible. J'étais censé en déduire qu'elle avait un nouvel amoureux. Puis elle a pris une profonde respiration tout en fermant les yeux. Là, j'étais supposé jauger à quel point il la comblait. J'en ai plutôt profité pour jeter un œil sur ses seins qui poussaient furieusement contre son chandail. Une vieille habitude, rien de bien sérieux. Du moins c'est ce que je croyais à ce moment-là.

— Il s'appelle Philippe...

Elle a expiré longuement et j'ai pensé à tous ces micro-organismes qu'elle propageait dans mon espace, tous ces microbes, toutes ces particules qui avaient séjourné à l'intérieur de son corps et qu'elle rejetait, comme autant de déchets, chez moi. Dire qu'à une certaine époque ces microbes et ces particules pouvaient passer de son anatomie à la mienne et vice versa sans que j'y voie un quelconque inconvénient.

J'ai imaginé son corps coloré comme un spectre thermique, selon le degré de chaleur que chaque partie dégageait. Le dessus de la tête, les aisselles, la bouche, l'entrejambe, toutes ces zones rougeoyaient, palpitaient, irradiaient dans la pièce.

— Alors tu as enfin trouvé l'homme de ta vie.

— Oui, je pense que cette fois ça y est. Il a toutes les qualités que je recherche chez un partenaire.

Je n'avais pas particulièrement envie de voir défiler la liste. J'avais l'intuition qu'elle serait constituée plutôt de mes contraires. Je suis passé au salon et je me suis laissé tomber sur le divan. Elle tenait absolument à ce que je tente de deviner ce qui l'avait séduite chez lui. Je n'ai pas osé me prononcer. Je ne voulais pas gâcher son plaisir, elle avait dû préparer ce punch tout au long du trajet qui l'avait menée jusqu'ici. Des kilomètres à le retourner dans sa tête de tout bord tout côté afin de trouver la formulation la plus percutante. Je m'attendais à n'importe quoi, une insulte, une claque, un coup de poignard. Pour finir par conclure qu'il allait probablement s'agir des trois réunis. J'ai fermé les yeux, histoire de voir si je ne pouvais pas anticiper la chute.

— Il est allergique aux fleurs et aux pollens. Il a une dent contre tout ce qui est vert et qui fabrique de l'oxygène. Pour te dire, quand je lui ai décrit notre maison…

— Ma maison.

— Enfin, il a fallu que je lui trouve sa pompe en vitesse, il était en train de suffoquer.

— C'est une force de la nature.

— Oui, mais pour le reste, il est plutôt solide, si tu vois ce que je veux dire.

Depuis notre séparation, elle m'avait tenu au courant de toutes ses fréquentations. Tous les types qui avaient parsemé le cours de sa deuxième vie, je les connaissais de long en large. Elle prenait un malin plaisir à me raconter ce que ces hommes étaient prêts à faire pour elle, alors que je l'avais repoussée. De mon côté, je n'avais aimé personne après elle. J'avais bien eu quelques aventures au début, aveuglé par une sorte d'optimisme bon enfant, mais très vite je m'étais désintéressé de la chose. J'en avais marre de forcer des rencontres qui, chaque fois, s'avéraient plus compliquées et plus décevantes. Sans compter qu'il devenait risqué d'inviter une fille chez moi ; aussitôt qu'elle voyait l'allure de la propriété, elle avait peur que je la séquestre ou un truc du genre. De plus, la nuit, à l'intérieur, il n'était pas rare d'entendre gratter quelque rongeur ou battre de l'aile une chauve-souris. À part une vétérinaire ou une gardienne de zoo, je ne voyais pas très bien qui aurait pu ouvrir les jambes dans de pareilles conditions. De toute manière, trois fois sur quatre je n'arrivais même pas à bander.

Bon joueur, mais tout de même sans pousser la générosité jusqu'à lui accorder un regard, j'ai laissé tomber qu'il était bien chanceux, ce Philippe. Elle n'a pas réagi tout de suite. J'ai tourné la tête, histoire de voir ce qu'elle fabriquait – ses silences avaient le don de m'inquiéter. Elle me dévisageait, les poings sur les hanches et les jambes écartées. Son anatomie m'était suffisamment familière pour que je puisse imaginer, sous sa jupe, ses cuisses bien dures avec ce muscle qu'elle avait de particulièrement développé, le quadriceps vaste interne, qui saillait juste au-dessus du genou. Et au bout de tout ça, un peu coquine, une fossette sur chacune de ses fesses dodues.

—Qu'est-ce que tu veux dire?

—Rien. Juste que ce Philippe est bien chanceux d'être tombé sur toi.

Elle a tourné la tête de côté et elle est revenue à moi aussi vite. Entre-temps, tous les muscles de son visage s'étaient contractés. Ils déformaient son allure générale, créant, ici et là, un renflement ou un petit creux, exagérant telle ridule issue du froncement répété de ses sourcils ou telle autre due tout simplement à l'âge. Elle a prononcé la moitié de la phrase suivante les yeux fermés:

—Qu'est-ce que tu cherches à faire, Édouard?

La question méritait effectivement d'être posée. Souhaitais-je seulement la priver du plaisir qu'elle voulait s'offrir en venant me jeter son bonheur au visage ou croyais-je vraiment que ce type avait de la chance? À moins que je n'aie cherché, par n'importe quel moyen, à me venger du départ de Maxime?

Elle a agité son doigt sous mon nez en m'interdisant de lui parler de cette manière puis elle a fait quelques pas, électrisée par l'irritation.

—T'as pas le droit de venir me dire avec qui je dois

partager ma vie ou avec qui je dois m'envoyer en l'air. Et ton petit air condescendant de celui qui a compris le sens de la vie, garde-le pour Maxime !

Je me suis éjecté du divan et je l'ai prise comme point de mire. En franchissant les quelques pas qui nous séparaient, je lui ai envoyé que dans ce cas-là je révisais ma position pour conclure plutôt que ce type faisait franchement pitié et qu'il avait intérêt à s'envoyer tout de suite une balle dans la tête pendant qu'il l'avait encore toute à lui. Voilà, comme ça, elle pourrait continuer de croire que j'étais contre elle puisque ça lui facilitait tellement la vie.

— Et t'es franchement rancunière, si tu veux savoir. C'est pas suffisant que t'aies récupéré ton fils, il faut que tu me parles de ton Philippe, comme quoi il a les bronches fragiles mais la bite coriace. Si c'est une fois de plus pour me montrer que j'ai eu tort sur toute la ligne, après toutes ces années, il me semble que tu pourrais laisser tomber.

— Pauvre Édouard, tout ça, c'était pour faire la conversation…

Oui, bien sûr, elle s'était tapé vingt minutes de route exclusivement pour venir « converser » avec moi. Elle trouvait sans doute que ma maison avait l'air d'un salon de thé. En fait, je la connaissais suffisamment pour savoir qu'elle n'avait pas l'habitude de déplacer de l'air pour rien. Ou c'était dans le but de se rafraîchir ou c'était pour déclencher une tornade quelque part. Et ce jour-là, j'avais le pressentiment qu'il s'agissait des deux.

— Contrairement à ce que tu penses, je te souhaite pas de mal, Édouard, juste ce que tu mérites. Et si je comprends bien, t'es en train de l'obtenir ; on dirait qu'il reste plus beaucoup de monde autour de toi…

— Justement, à ce sujet, j'ai bien apprécié le fait que

Maxime, sur tes recommandations, décide de s'en aller sans m'en parler au préalable.

— Il m'a demandé la procédure à suivre dans ce genre de situation, alors je lui ai raconté comment on faisait les choses dans cette famille.

J'ai fermé les yeux une seconde. J'avais peine à croire que nous allions encore discourir sur cette histoire. Je lui avais parlé de cette séparation deux ans avant qu'elle devienne effective. C'est Véronique qui m'avait demandé d'attendre que Maxime ait douze ans. J'avais accepté par amour pour elle et pour mon fils, et nous avions repris le cours de notre vie. Le tort qu'elle m'imputait depuis le jour fatidique, c'était de ne pas lui avoir rappelé, chaque semaine, que nous avancions vers la fin.

— T'as fait comme si de rien n'était ! Tu travaillais, tu t'occupais de moi, de Max, du terrain, de la maison. Une fois de temps en temps, tu me mettais la main au cul et je comprenais que t'avais toujours envie de moi. Ça a duré deux ans comme ça, deux années presque parfaites. Et du jour au lendemain, tu m'annonces que l'heure est venue.

Elle a terminé sa tirade appuyée contre la table de la salle à manger, les bras croisés. Le tour de ses paupières et la base de son nez avaient pris une teinte rosâtre. J'aimais assister à ce genre de spectacle. Ce qu'éprouvait Véronique à ce moment-là n'avait rien à voir avec la faiblesse qu'elle manifestait en me parlant de ses amants ou en montant mon fils contre moi. Ce n'était pas de l'animosité ou de la mesquinerie, c'était de la tristesse pure. Un précieux filon de tristesse courant dans le roc entre les couches grotesques d'orgueil et de rancune. Et sous la poussée de cette tristesse, ses muqueuses s'activaient exactement comme se seraient dressés ses cheveux sous l'effet de la peur ou comme auraient durci ses mamelons sous l'action du froid. Ces réactions puisaient leur source dans quelque chose de foncièrement organique. C'était à vous donner envie d'être humain.

— Qu'est-ce que tu veux que je réponde à ça, Véronique? C'est pas parce qu'un jour j'ai compris que je t'aimais plus que je me suis mis à te détester pour autant. J'aurais pu passer le reste de ma vie avec toi, des tas de gens le font.

— Alors pourquoi pas toi? Tu te croyais plus fort que les autres?

— Je t'ai expliqué tout ça vingt fois.

— Ça fera vingt et une.

— Non, pas aujourd'hui, j'ai du ménage à faire.

J'ai senti son souffle délicatement parfumé envelopper mon visage. Je n'ai pas pensé aux microbes. J'ai regardé avec attention les rides qui soulignaient ses yeux, le fin duvet qui courait sur sa joue et le rouge éclatant de ses lèvres qui tranchait dramatiquement avec le fond clair de sa peau. Une superbe femme.

J'avais envie de replacer la mèche de cheveux qui avait quitté son oreille, mais je n'ai pas osé. Elle m'a souri plutôt tendrement et nous nous sommes regardés quelques secondes, bien au fond des yeux. Aurais-je pu deviner à cet instant que j'allais me retrouver dans une chambre d'hôtel, en sa compagnie, dans quelques jours à peine?

— N'oublie pas de doubler ma pension, le mois prochain.

Maintenant que Maxime vivrait là à temps plein, c'est elle qui aurait toutes les dépenses. J'ai essayé de lui expliquer que nous ne pouvions pas tout simplement doubler ce montant puisqu'une partie la concernait, elle. C'était donc l'autre partie, celle englobant les dépenses relatives à Maxime, que je devais doubler. Elle avait manié des chiffres tout le long de sa vie professionnelle, personne n'avait jamais pu l'escroquer ne serait-ce que d'un seul dollar, par conséquent elle s'est résolue à m'accorder ce point.

Aussitôt que Véronique a passé la porte, j'ai commencé à trembler. N'ayant rien avalé depuis la veille chez Michel, j'ai décidé de mettre la main sur une bière. C'est en ouvrant le réfrigérateur que je me suis aperçu que je tenais les clés de mon ex-femme. Comment s'étaient-elles retrouvées là ? Une bouffée de chaleur phénoménale m'a envahi et j'ai dû m'appuyer sur le comptoir le temps de reprendre mes esprits.

Véronique est réapparue devant la porte. J'ai essayé de lui sourire, mais je crois que l'expérience n'a pas été concluante. Elle a froncé les sourcils puis elle a ouvert.

— Ça va, Édouard ?

Mes yeux ont roulé vers l'arrière et j'ai senti mon corps prêt à s'effondrer. Véronique m'a tendu la main, probablement avec l'intention de m'entraîner jusqu'au divan. Je voyais l'expression de stupeur sur son visage. Ses lèvres bougeaient, mais je n'entendais rien. Je me suis accroché à son bras alors que mes jambes se dérobaient sous moi. C'est elle qui s'est retrouvée au plancher tandis que je réussissais à me cramponner au comptoir. Elle était grotesque et ça m'a arraché un bref sourire. Elle s'est assise et elle a relevé sa jupe pour examiner son genoux. Une deuxième bouffée de chaleur m'a submergé mais cette fois, en prime, la pièce s'est mise à tourner. Mes muscles se sont relâchés, mes mains ont glissé sur la surface du comptoir et je me suis écroulé en pivotant sur moi-même. Quand j'ai rouvert les yeux, j'étais allongé sur le dos, entre les jambes de ma femme, la tête à la hauteur de ses genoux.

— Qu'est-ce que tu fais, Édouard ! ?

Je voyais un bout de sa culotte. Culotte que j'avais

descendue, fait planer dans différentes pièces, chambre, cuisine, salon, salle de bain, sous-sol, grenier, culotte blanche toujours, culotte blanche que j'avais écartée, mordillée, déchirée. Je connaissais son sexe par cœur. Six ans de séparation n'éliminent pas le souvenir de milliers de face-à-face. C'est par là que tout avait commencé. L'amour, Maxime, tout était venu par là. Le désir, la beauté, être beau, se sentir de nouveau être beau, plus grand que nature, plus fort que tout, retrouver un rôle si clair et si extravagant à jouer. Puis tout était parti, tranquillement, sur la pointe des pieds, échine courbée, souliers à la main pour ne réveiller personne, amour, désir, émerveillement, ces globes qui teintaient tout, qui jetaient leur lueur rougeoyante sur le monde, partis à petits pas feutrés.

Elle m'a repoussé du pied et elle s'est relevée d'un bond. Je suis resté couché, les yeux légèrement révulsés, à essayer de comprendre ce qui m'arrivait. Elle était enragée, elle tournait autour de moi en boitant et en s'époussetant.

— Ça va mieux maintenant?

J'entendais sa voix et ça me plaisait drôlement d'avoir retrouvé l'ouïe. J'ai fait un timide non de la tête. Elle a marché vers le téléphone en marmottant. J'ai regardé le plafond tout ce temps. Quand elle est revenue, elle a ouvert le col de ma chemise pour s'assurer que je ne manquais pas d'air. Il fallait que je lui parle, il fallait absolument que je lui dise quelque chose.

— Non, te fatigue pas, Édouard, une autre fois.

Elle était visiblement agacée par tout ce cirque. Les circonstances l'obligeaient à s'impliquer plus qu'elle ne le souhaitait. Décidément, cette petite visite n'avait pas tourné comme elle l'entendait. J'ai saisi son bras et je lui ai demandé de m'écouter attentivement.

— Tu vas pas me raconter que tu m'aimes encore, quand même, qu'est-ce qui te prend, Édouard, si tu me fais un coup pareil après tout ce que tu m'as obligée à traverser, je crois que je te tue de mes propres mains.

— Je sais pas comment tu vas le prendre, c'est délicat…

Un vent d'inquiétude a traversé son regard. J'ai eu un nouvel aperçu de sa vulnérabilité, de sa peur profonde du désordre contre laquelle elle avait appelé très tôt dans sa vie les chiffres, les cases et les colonnes.

— J'ai plus d'assurance-vie, Véronique. J'ai été obligé de tout annuler, j'avais plus un sou. Si je meurs, tu devras subvenir aux besoins de Max toute seule.

Un vent de soulagement a soufflé sur son visage. Ou alors j'ai tout imaginé.

Quelques minutes plus tard, deux types ont frappé à la porte. Ils sont venus jusqu'à moi et m'ont posé une série de questions auxquelles j'ai répondu avec beaucoup trop de sérieux par oui ou par non. J'essayais d'imaginer de quoi avait l'air la scène vue d'en haut. Planer au ras du plafond et me voir, allongé de travers dans la cuisine, sous le regard méprisant de mon ex-femme, moi le petit malin, flanqué de deux ambulanciers, comme n'importe quel con dans la quarantaine qui décide de poursuivre le prévisible à fond et d'y aller de son premier infarctus.

Et puis monter encore un peu et, cette fois, planer au-dessus du quartier, au-dessus de cette fabuleuse cour – la honte de mon fils – que, malgré les avis répétés de la municipalité, je ne m'étais jamais résolu à raser. Voir cette immense touffe, ce fabuleux toupet, cette rosette rébarbative dans la chevelure bien coiffée de la banlieue. Voir cet affront aux tendances du siècle ; propreté, antisepsie, gestion et organisation. Voir mon tout premier acte de dissidence.

4

— Tu peux m'expliquer ce que tu fais ici? a hurlé Michel.

J'ai tourné la tête et je l'ai aperçu dans l'embrasure de la porte. Il souriait comme le type qui débarque au Sahara avec des Tartuffo pour tout le monde.

— Eddy, Eddy, Eddy…

Il a traversé la chambre en hochant la tête – c'était le comble du pathétique –, il a passé un bras autour de moi et il m'a broyé les côtes. Je devais pourtant admettre que la peau râpeuse de son visage, le nuage de parfum qui le suivait toujours et ses lèvres humides sur mon front constituaient presque la totalité de ce qui me restait.

L'infirmière est entrée à ce moment-là. Elle nous a regardés, sourire en coin, en se demandant à qui elle avait à faire.

— Ben voilà, s'est écrié Michel en l'apercevant, maintenant je comprends ce que t'es venu fabriquer ici!

Elle m'a demandé si tout se passait bien. J'ai eu envie de lui dire que tout s'était toujours bien passé et que c'était à cause de ça, justement, que j'avais manqué de vigilance. Mais j'ai opté pour une formule plus appropriée:

— Oui, si vous pouviez seulement appeler la sécurité, je voudrais qu'on expulse cet homme.

— C'est vous qu'on va expulser. Le docteur s'en vient, il va vous donner votre congé.

Michel en a profité pour m'expliquer qu'il avait réussi à obtenir mon transfert dans l'aile psychiatrique et que Véronique s'était portée volontaire pour s'occuper de mes biens. Je lui ai fait remarquer qu'elle s'en occupait déjà. Ils ont ri tous les deux de concert. Pendant une seconde, j'y ai même vu une sorte de connivence, comme si une complicité antérieure les unissait – Michel a couché avec presque la totalité des myopes et des presbytes de cette ville. Finalement, il s'est tourné vers moi, l'air plutôt grave, et il a lancé:

— Qu'est-ce qui s'est passé avec ta femme?

— Ex-femme, Michel! Merde, après six ans, il me semble que tu pourrais faire un effort.

— Elle était dans un tel état quand elle m'a téléphoné.

Je me suis assis sur le bord du lit, du côté de la fenêtre. Il m'est revenu, comme ça, que quelques heures plus tôt j'avais retrouvé son entrejambe après six années d'absence, mais que rien de particulier ne s'était ranimé. Du moins pas de ce côté.

— Je crois qu'elle a eu peur que tu y passes.

Mes vêtements étaient là, bien pliés sur la petite chaise. Un pantalon, une chemise, deux bas, et, par terre, une paire de tennis. Comme si un homme avait déjà été assis sur cette chaise et qu'il avait disparu.

— Je sais que tu veux pas l'entendre, mais je pense qu'elle t'aime encore.

C'est là que j'ai songé à Simone. Incroyable Simone qui marquait ma vie de jalons et de repères discrets depuis dix ans. La seule chose qui ne me quitterait jamais, qui ne s'évanouirait pas, j'en avais la conviction profonde. J'ai demandé à Michel s'il l'avait mise au courant, j'aurais bien aimé la voir apparaître dans le cadre de cette porte avec son sourire triste et son monde à part.

—Oui, je l'ai avertie. Mais là, je te parle de ta femme, Eddy, et j'aimerais bien savoir ce que tu comptes faire à ce sujet.

—Il va passer un électrocardiogramme! a lancé le jeune médecin dynamique et bien content d'avoir supporté toutes ces études qui lui permettent maintenant d'alléger des souffrances, de sauver des vies et d'engager des types comme moi pour aménager son parterre.

Il est venu jusqu'au lit et m'a tendu un billet avec l'adresse d'une clinique. Tout était normal selon lui, c'était juste un peu de fatigue. Je me suis aussitôt tourné vers Michel, je me doutais bien qu'il ne pourrait pas retenir sa gueule volontaire. Effectivement, il a glissé au docteur qu'il me soupçonnait d'être en *burn out* depuis quelques mois déjà. Le doc lui a souri poliment. C'est toujours ce qu'ils font quand on pose un diagnostic à leur place; il n'y a rien qui les irrite davantage.

—En passant, elle très jolie, votre femme. Si c'est elle qui avait eu ce malaise, je l'aurais gardée beaucoup plus longtemps.

Et il a projeté dans les airs un grand rire de congrès pharmaceutique dans les Antilles, toutes dépenses payées.

—Ex-femme, ai-je précisé.

—Mais elle l'aime encore, a cru bon d'ajouter Michel.

J'ai boutonné ma chemise en fixant le terrain vague derrière l'hôpital. Un orme d'une cinquantaine d'années, probablement planté au moment de la construction de l'édifice, poussait là, fin seul. J'étais trop loin pour observer les traces de sciure entre les fissures de l'écorce, mais ses feuilles desséchées et brunies ne trompaient pas. Il était envahi par la maladie hollandaise. Les scolytes, dans leur réseau de galeries, pouvaient maintenant se reproduire en paix. Que faire contre la maladie qui s'est insinuée dans tous les orifices, par tous les pores ? Comment lutter quand le mal est généralisé ?

J'avais envie d'être seul quelques instants, j'ai demandé à Michel d'aller m'attendre dehors.

— Oh ! fais pas l'enfant, je l'ai déjà vu, ton petit cul musclé. Parlant de cul, ce soir on va à une soirée samba et j'aimerais bien que tu nous accompagnes. Ça te changerait les idées. Je t'ai dit qu'on suivait des cours de samba ?

— Non, Michel, pour une raison que j'ignore, tu m'as caché ce détail savoureux. Je voudrais m'habiller tranquille, s'il te plaît…

La porte s'est refermée. J'ai pris mon pantalon sur la chaise en me demandant si sa passion pour la danse allait durer plus longtemps que celles qu'il avait éprouvées tour à tour pour la Bourse, les condos à temps partagé et les fromages québécois. Puis la porte s'est rouverte. J'ai tourné la tête lentement, persuadé qu'il venait pour ajouter une bêtise.

Mon fils était là, dans l'embrasure, ses longs bras lui tombant quasiment aux chevilles. Tout comme la fourche de son pantalon d'ailleurs. C'était donc la journée internationale du pathétisme. N'empêche qu'aussitôt que j'ai eu ne serait-ce qu'un vague début du sentiment de sa présence, un noyau dur s'est cassé en moi et j'ai senti un liquide chaud et velouté s'épancher partout dans ma poitrine.

Je suis devant l'évier de cuisine, couvert de sueur, et je bois un verre d'eau. Maxime a cinq ans. Il se balade nu comme un ver dans la maison. Véronique, dans sa robe bain-de-soleil, n'apprécie pas. Elle le trouve trop vieux pour ce genre de chose.

—Maxime, tu sais que j'aime pas que tu te promènes comme ça dans la maison.

Ça le fait sourire. Il adore que sa nudité dérange sa mère. Je suis là, que cela veut crier. J'existe. Et je commence déjà à jouer dans la plate-bande des grands.

—Alors viens dehors avec moi, Max. Dehors, c'est bien connu, c'est pas dans la maison.

Et nous passons la porte sous l'œil réprobateur de Véronique et je reprends mes activités, charrier de la terre et des pierres à la brouette. Après quelques minutes, je jette un œil à la ronde pour voir ce que Maxime fabrique. Je l'aperçois, accroupi, flambant nu toujours, devant le framboisier. Il cueille les petits fruits et les porte à sa bouche un à un. Ses doigts sont tachés de rouge, le tour de sa bouche aussi, et, ma foi, il doit bien s'essuyer sur ses cuisses de temps à autre parce qu'elles portent la marque, elle aussi, de son délit. Ce n'est plus mon fils, c'est n'importe quel enfant du monde, de n'importe quelle époque. Quelque part dans l'est de l'Afrique, il y a trois millions d'années, il a passé la nuit blotti contre sa mère, elle-même installée à la fourche d'une large branche. Et dans le petit matin, il mange ces baies qui ne donnent pas mal au ventre. Après il ira fouiller le sol pour trouver racines et rhizomes. Et qui sait s'il ne tentera pas sa chance avec un champignon ou deux, à l'insu des femelles de la meute? Les mêmes préoccupations: manger le monde, toucher le monde, découvrir par les mains, les yeux, les oreilles, les papilles. S'approprier. Les mêmes sensations: froid du vent, de la pluie, chaud du soleil, du corps des autres, peur, et les mêmes moyens de se rassurer, de se convaincre qu'on n'est pas perdu.

D'où vient ce bruit inquiétant? Qu'est-ce qui a bougé dans ce buisson? Maman est-elle dans les parages? Y a-t-il un endroit où battre en retraite? Et les mêmes sentiments: amour, envie, possession, peur de ne pas être accepté, d'être abandonné, laissé pour compte quand la troupe reprendra sa marche. Cette maudite peur d'être laissé derrière.

Je m'approche lentement de lui. Quand j'entre dans son champ de perception, il sursaute et me regarde. C'est moi, Maxime. Je sais, papa, j'ai reconnu la forme de ton corps, ton contour, l'expression de ton visage, ton odeur même. Toutes ces informations sur toi que j'ai emmagasinées depuis si longtemps. Et il me sourit. Parce que c'est moi, bien sûr, mais aussi parce que les framboises sont gorgées d'eau et de sucre et que ce plaisir peut être compris par n'importe quel humain de n'importe quelle époque sans avoir à prononcer un mot, à émettre un grognement. Il en cueille une nouvelle et me la présente. Je m'accroupis près de lui. Mes cuisses, mes bras et mes épaules me font mal. Mes muscles ont gonflé sous l'effort, ils sont saturés de sang et d'oxygène. Le même oxygène que nous respirons tous, un milliard de fois renouvelé. Je prends la framboise délicatement. Maxime, cinq ans, nu, me regarde la porter à ma bouche, sans savoir qu'il participe là à un acte de toute éternité. Puis il retourne à sa besogne.

— T'en veux une autre, papa?

Je le soulève de terre et le plaque contre ma poitrine. Il noue ses jambes à ma taille, entoure ma nuque de ses bras et pose sa tête sur mon épaule. La même posture, éternelle elle aussi. Son odeur d'enfant, sa moiteur, se mêlent à mon odeur de transpiration, à la fine couche de rosée qui recouvre mon torse. Et pour un instant, c'est le même soulagement; il est protégé, je suis le protecteur.

— C'est gentil d'être venu, Maxime, je te remercie.

— C'est maman qui me l'a demandé. Elle partait en week-end avec Philippe.

Il restait là, sans bouger, ne sachant trop quoi ajouter ou même quoi regarder. Son copain Luc devait l'attendre en bas ou un truc du genre. J'ai glissé les pieds dans mes tennis.

— Philippe, le type allergique à la chlorophylle ?

— Il est vraiment cool. Il a une BMW et il hésite pas à me la prêter.

Voilà. Au Nicaragua, en Sierra Leone, des enfants avaient tenu des mitraillettes avant d'avoir du poil aux aisselles ; en Angola, de jeunes affamés avaient découvert qu'en suçant un chiffon imbibé d'essence ils pouvaient calmer leur faim plusieurs heures d'affilée. Mon fils, plus privilégié, avait eu le loisir au fil des ans d'élaborer un ingénieux système permettant de juger de la valeur fondamentale d'un être humain : combien valait sa bagnole et était-il prêt ou non à la lui prêter ?

— J'ai quelques trucs à ramasser à la maison, tu veux me prêter ta clé ? Je trouve plus la mienne.

— Oh ! fiston, je crois pas que ce sera nécessaire.

— Qu'est-ce que tu veux dire ?

— Tes affaires sont déjà dehors.

— …

— En un ou plusieurs morceaux.

5

Je courais sur la tapis roulant, la poitrine placardée d'électrodes. Le moniteur cardiaque, à mes côtés, essayait de me faire croire que j'étais encore vivant. Cours, mon vieux, vas-y, cours. L'infirmière avait vingt-cinq ans maximum. Elle possédait l'assurance de la jeunesse avec la portion de dos droit et de poitrine relevée qui vient avec.

— Ça va, monsieur ?

— Oui, fffuu, merci.

— Vous arrêtez quand vous voulez…

Je n'étais rien pour elle, je n'existais pas. Un cœur branché à des électrodes. Elle attendait dix-sept heures. Que tu pompes ou que tu ne pompes plus, mon gars, il faut que je passe à la garderie chercher mon trésor et que je rentre à la maison rejoindre mon autre trésor. Je suis dans le marché de la vie, tu comprends ? J'ai vingt-cinq ans, je dépense, je donne, je prends, je sauve et j'espère encore être sauvée.

Dans le village de mon enfance, il y a cette fille de onze ans que j'ai réussi à entraîner sous le quai de la gare pour le troisième jour consécutif. Mais cette fois j'ai déjoué la vigilance de Michel ; il doit me chercher dans la cour d'école, demander aux copains s'ils n'auraient pas vu Eddy par hasard.

C'est l'heure du lunch et nous fumons des cigarettes avant de retourner en classe. Trois ou quatre, selon les jours, suivant la puissance du mal de cœur qui nous étreint. Elle est belle. Ce n'est pas la première fille que je trouve belle, mais celle-là, elle a quelque chose de plus. Elle a que j'ai onze ans, moi aussi, et que mon corps est de plus en plus présent au monde, qu'il s'impose à moi et qu'il a envie de s'imposer aux autres également.

Nous sommes accroupis sur un mélange de terre et de gravier, dans l'odeur d'huile et de goudron, tout près l'un de l'autre, nous tirons sur notre cigarette et je me demande si c'est aujourd'hui que je vais réussir à l'embrasser.

Le train de midi trente approche. Nous l'entendons gronder au loin, nous sentons sa vibration partout autour de nous. Sa terrible vague se ramasse sur elle-même pour mieux déferler sur nous. Si elle pouvait nous emporter, si je pouvais ne pas avoir à rentrer à la maison tantôt. Encore une fois nous avons disséminé ici et là des sous noirs sur les rails. Sous que nous ne prenons même plus la peine de chercher après le passage du géant. C'est fou ce que nous avons vieilli juste ce printemps.

Le train approche donc et je sors la tête de là-dessous pour le regarder foncer sur moi. À l'instant où j'entame ce geste, je regarde la fille. Elle s'est recroquevillée davantage, elle a ceinturé ses genoux avec ses bras, elle a juste un peu peur, juste ce qu'il faut étant donné qu'il va y avoir un boucan d'enfer dans quelques secondes. Pour la première fois de ma vie, je vois à travers cette peur. Et je distingue nettement, derrière, ou dedans plutôt, cette crainte toute féminine. Cette sensation que le monde représente une menace. Pour la vie, pour l'intégrité physique, mais aussi pour les enfants qu'il va falloir mettre au monde un jour. Une sorte de sensation également, inconsciente bien sûr, que l'humanité ne s'est pas engagée sur la bonne voie. Un truc que cette fille ne formulera peut-être jamais mais qui courra toujours dans ses fibres, comme un fil à tisser, et qui la marquera d'une certaine manière, qui lui imprégnera un certain motif.

Et je commence à saisir ma place dans cette peur, dans ce tissu. Imbriqué moi aussi, source de cette peur même, mais frein également. Le pouvoir d'être à la fois vent et paravent.

Et, en un éclair, mon esprit décoche cette pensée absurde : si tu aperçois un nuage qui a la forme d'un animal avant que le train vienne obscurcir le ciel, elle t'embrassera aujourd'hui. Et il m'est apparu, un schnauzer blanc, aussitôt dérobé à ma vue par l'imposante locomotive. Je me suis tourné vers la fille, tout sourire, parce que j'aimais ce tumulte, ce bruit foudroyant, le vent chaud que la vague de fer soufflait sous le quai et cette poussière fine et sèche qui tournaillait autour de nous et nous enveloppait.

Elle grimaçait en se bouchant les oreilles. Elle avait laissé sa cigarette rouler par terre. Je la regardais en riant, en riant très fort. À cause du terrible bruit, à cause du vent chaud et à cause de sa petite peur aussi, qu'elle essayait toujours de contenir avec ses mains, tantôt autour de ses genoux, maintenant autour de sa tête. Et je riais beaucoup parce que j'avais trouvé ma place dans cette peur, contre cette peur, dans le monde.

Petite fille que je vais perdre de vue dans quelque temps, à la fin des classes. Qui va dire au revoir, bon été, Édouard, on se reverra à la rentrée et qui ne sera tout simplement pas là le moment venu. Qui va laisser une place vide et un peu floue dans le rang, dans la salle des cases, dans celle des cours, sur la table du fond à la cafétéria, devant le grand lavabo blanc du local d'arts plastiques, dehors sous le vieil érable rouge. Et un peu partout dans le ciel, dans les flaques d'eau, derrières les montagnes, dans la rivière, dans les oiseaux et leur vol fou.

Betty que je vais retrouver dans six ans, par hasard, sur le quai de la même gare qui sera devenue la terrasse d'un casse-croûte si judicieusement appelé La vieille gare. Et qui va d'un seul coup, en un seul regard, avec un seul haussement de sourcils, combler tous les espaces vides qu'elle avait laissés. Et même les autres, ceux qui ne la concernaient pas.

Cours, mon vieux, cours. Garde les yeux droit devant. Soulève une jambe, pose un pied. Entends ce bip rapide, prends-le comme le témoignage de ta présence sur terre. Ce qui reste de toi. Un bip artificiel qui se propage dans l'espace. Cours, irradie inutilement, lance dans le monde ta petite présence synthétique.

L'infirmière est revenue pour jeter un œil au moniteur puis elle m'a souri, navrée de quelque chose que je n'arrivais pas à définir. Peut-être mon âge, peut-être le temps qu'il me restait. Comme si je n'avais pas eu ma part.

— Ça va toujours, monsieur?

— Fffuu, ça fait longtemps que je me suis pas senti aussi bien.

— N'en faites pas trop, quand même. Vous avez personne à impressionner.

Sous-entendu, ne pousse pas ta chance trop loin, mon gars. Ne va surtout pas tenter le sort, tu as passé l'âge de cracher dans les airs, qui sait ce qui pourrait te retomber sur la tête. Si tu savais, petite, tout ce qui m'est déjà tombé dessus… Et nous sommes dans la même galère, toi et moi. Cours aussi te mettre à l'abri avant d'en arriver à regarder ton petit trésor avec le sentiment que c'est la seule chose qui te rattache encore au monde et à prendre conscience que cette chose est mouvante, qu'elle cherche déjà la porte, qu'elle tire un peu plus fort chaque jour sur la manche que tu essaies de retenir. Et à te retourner pour chercher dans le regard de ton autre trésor, cet homme qui te suit depuis des années, un brin de consolation et à n'y trouver que du vide, ce vertigineux vide quand tout s'est éteint.

— Vous feriez mieux de vous arrêter, monsieur.

— Fffuu, vous croyez ?

Mon cœur battait à cent quatre-vingt-quinze et ma course était complètement désarticulée. La sueur tombait à grosses gouttes partout autour de moi, je me liquéfiais, mais j'étais carrément incapable de m'arrêter. Elle a voulu stopper le tapis, mais je ne l'ai pas laissée faire.

— Je crois pas que ce soit très prudent, a-t-elle dit.

— Qu'est-ce qu'y peut m'arriver, merde, je suis à la clinique !

— Je vais devoir aller chercher le cardiologue.

— C'est ça et dites-lui de ramener les défibrillateurs pendant que vous y êtes, on sait jamais.

Allez, cours, Édouard, descends de la machine, emprunte le corridor, tourne à gauche, dépasse la réception, sors de la clinique, traverse le stationnement, gagne la rue, gagne le boulevard, accélère, accélère, pousse jusqu'à ce qu'il y ait dislocation, rupture ou éclatement.

— Eh ! Vous !

— …

— Oui, vous. Vous auriez pas vu ma vie passer par hasard ?

— Il y en a une très chouette qui est partie par là. Elle était dorée avec de fines lignes bourgogne. La classe. Une sacrée vie, comme on en voit rarement.

— Non, la mienne est brune et beige avec un soupçon de moutarde.

— Alors non, désolé.

Quand l'infirmière et le cardiologue sont revenus, le tapis roulant filait à vive allure et j'étais étendu face contre terre, le bras gauche saucissonné dans les électrodes. Ils se sont précipités sur moi pour me retourner. Le cardiologue ne rigolait pas. Il a pris mon pouls, le front soucieux.

— Ça va, y a pas de mal, j'ai seulement perdu pied.

La fille n'avait jamais vu un abruti pareil. Elle n'en revenait pas. Elle mourait déjà d'envie de raconter ça aux copines. Le cardiologue m'a aidé à me relever et il m'a soutenu jusqu'à son bureau, où je me suis écroulé sur une chaise. Il avait cette façon de me regarder, comme s'il n'arrivait pas à me comprendre. Ne vous inquiétez pas, ai-je eu envie de lui dire, vous n'êtes pas tout seul. Enfin il a consulté l'électrocardiogramme et il m'a assuré que mon cœur était en parfait état.

— Mais vous allez devoir faire attention à vous. Vous n'avez pas l'air bien.

— Je vous rappelle que je viens de courir un marathon.

— Et vous vous êtes affaissé.

— J'ai perdu pied.

— Et avant-hier, quand les ambulanciers vous ont ramassé chez vous, vous aviez aussi perdu pied?

Il m'a servi le sermon habituel mais avec une réelle dose de compassion. La machine ne tiendrait pas bien longtemps si je continuais à la pousser de la sorte. La prochaine fois, les conséquences pourraient s'avérer beaucoup plus graves. Je l'écoutais, convaincu qu'il disait vrai, mais ne voyant pas le moins du monde comment je pouvais y changer quoi que ce soit. Il a marqué une pause puis il m'a proposé, un peu maladroitement, de me référer à un psychologue.

— Non, merci. Ce sera pas nécessaire. En revanche, j'aimerais bien avoir une vasectomie d'urgence.

Il m'a regardé avec l'air de dire «Tu me fais marcher ou quoi?» J'ignore pourquoi cette idée m'était apparue comme ça, là, mais j'étais persuadé que c'était la voie à suivre. J'irais même jusqu'à dire que je n'avais pas été aussi emballé par un projet depuis fort longtemps. Je m'étais redressé sur ma chaise et mes yeux pétillaient, j'avais repris vie. Le cardiologue a griffonné quelques mots sur son bloc-notes puis il m'a tendu la feuille. Il s'agissait d'une clinique privée, j'allais donc devoir assumer la totalité des frais, mais je m'en foutais si c'était le prix à payer pour ne pas sécher au bas d'une liste d'attente.

— C'est un urologue. Un copain.

— Moi, j'ai un ami oculiste, mais je le recommande à personne. Comme oculiste, passe toujours, mais comme ami…

Je me suis levé et j'ai enfilé ma chemise. Il m'a raccompagné jusqu'à la porte. C'est là qu'il a laissé échapper ce qui le tracassait depuis un moment:

— C'est une femme qui vous a mis dans cet état?

— Vous croyez qu'une femme pourrait causer ça à elle seule? Non, c'est l'œuvre d'une vie. Des années de travail…

Il m'a tendu la main en hochant la tête. Je l'aimais bien, ce docteur. J'aurais pu m'en faire un ami. Je voyais derrière ses yeux sombres un parcours douloureux. Sa trajectoire m'apparaissait comme une radiographie, j'y distinguais les fractures incomplètes et les cassures ressoudées qui l'avaient jalonnée. J'ai donc accepté de serrer la main qu'il me tendait.

Il en a profité pour ajouter que de toute évidence je n'avais pas choisi la voie la plus facile, quelle qu'elle pût être, et que j'allais peut-être payer très cher cette petite escapade hors des sentiers battus.

Ce type pouvait lire l'avenir dans les lignes d'un électrocardiogramme. Ce n'est pas donné à tous.

6

J'ai mis le pied dehors et le soleil m'a aussitôt cloué sur place. C'est tout ce que ça me prenait pour m'arrêter, j'en étais rendu là. Il me semblait subir un ultime interrogatoire, comme si une lampe de cent milliards de watts était braquée sur moi. Qui es-tu ? D'où viens-tu ?

J'avais perdu toutes mes réponses. Six ans auparavant, j'aurais pu dire « je suis le mari de Véronique, celui qui l'aime, qui la soigne, qui tente de lui faire oublier le vide originel contre lequel on appelle l'amour ». Hier encore, j'aurais pu dire « je suis le père de Maxime, je l'ai nourri, soigné et je me suis efforcé de le révéler à lui-même ». C'étaient les seuls gestes concrets, petits et ridicules, que j'avais réussi à faire contre le carnage ambiant. Et tout ça n'existait plus. Je n'étais plus d'aucune utilité, je n'avais plus de définition.

Je suis resté un moment comme ça, les bras le long du corps, les yeux fermés, le visage tourné vers l'enquêteur suprême. Une femme est passée en laissant traîner derrière elle un parfum que je connaissais. J'étais donc, au moins, un homme immobile, les yeux fermés, qui reconnaissait un parfum. Dans le sol, des milliers de bestioles accomplissaient instinctivement les tâches nécessaires à leur survie ; les pondeuses éjectaient les œufs, les ouvrières creusaient les galeries, les guerrières fonçaient sur leurs ennemis, enfonçant leur dard dans leur cuirasse puis crachant leurs sucs acides sur leurs plaies. Et moi j'étais là, *knock out*, alors qu'il y avait tant à faire. Des acariens parasites employaient toutes leurs énergies à creuser l'épiderme d'un mammifère ; des nécrophores s'empressaient d'enterrer le cadavre d'un petit vertébré pour y pondre leurs œufs avant que les asticots et les mouches à viandes ne l'envahissent. Et la femme s'éloignait, et le bruit de ses pas se fondait lentement dans la clameur générale, et je laissais filer ce qui était peut-être mon dernier point d'ancrage dans ce monde.

Qui es-tu ? Un homme de quarante et un ans avec rien derrière et une femme qui s'éloigne devant. Et l'idée de la perdre m'est soudainement apparue intolérable. Si elle disparaissait, je disparaissais aussi. S'il n'y a personne pour entendre l'arbre qui tombe dans la forêt, cet arbre émet-il un bruit ? Voilà Édouard en pleine chute, que quelqu'un quelque part ouvre grand ses oreilles !

Elle s'est arrêtée pour allumer une cigarette. J'ai commencé à marcher dans sa direction. Elle a tiré une bouffée en creusant les joues puis elle est repartie. À peine une dizaine de pas nous séparaient et quand j'ai croisé son allumette, de la fumée s'en échappait encore. Le mot agonie a éclaté dans mon esprit comme un bourgeon et sa feuille si minutieusement pliée et d'un vert si tendre s'est déployée en accéléré.

Elle portait une robe noire et un sac en bandoulière. Ses cheveux étaient noirs aussi. Je me foutais de tout ça. Je me foutais de ses épaules, je me foutais de son cul, je me foutais de ses jambes. Je n'en avais que pour ses oreilles. Entends la chute de l'homme avec ses quarante et un sillons dans le rayon de son tronc.

— Pardon, auriez-vous du feu ?

Elle s'est arrêtée, elle a considéré ma gueule quelques instants puis elle a ouvert son sac. Trois secondes plus tard, une nouvelle allumette craquait. Je m'entendais lui dire emmène-moi, emporte-moi, sois quelque part ailleurs et attends-moi ; chez toi, tourne en rond chez toi en regardant l'heure et en te demandant ce que je peux bien fabriquer ; dans l'entrée d'un cinéma deux minutes après le début du film, rage contre moi toujours en retard, imbécile, mais attends-moi quelque part que je pose mes lèvres sur ton oreille et que je fasse glisser en toi des choses qui ne doivent jamais être dites à voix haute.

— Pendant que vous y êtes, auriez-vous aussi une cigarette ?

Elle a souri. Comment dire à une inconnue que vous voulez vous étendre nu avec elle et ne rien faire d'autre ? Juste ça, peau contre peau, juste laisser libre cours à l'osmose, traverser son cuir comme le médicament libéré d'un patch. Ça devrait pourtant pouvoir se dire, six milliards d'humains, trois milliards de femmes, il doit bien y en avoir une quelque part qui peut comprendre ça, qui attend la même chose. Ton sexe ne m'intéresse pas, ta vie non plus, c'est ton contour que je veux épouser. Que ton corps délimite le mien, trace ma découpe, parce que je suis en train de me dissoudre dans tout ce vide.

— Ça fait près de vingt ans que j'ai pas fumé. Vous devez sûrement vous demander pourquoi je tiens à recommencer ?

Son visage s'ouvrait de plus en plus.

— Pour m'aborder, peut-être ?

— Non, en fait je me cherche une définition. « Fumeur » est ce que j'ai trouvé de plus simple pour l'instant. Est-ce que je peux marcher avec vous ?

— Si vous y tenez.

J'y tenais. Je suis passé du côté de la rue par galanterie. À moins que ce ne soit un vieux réflexe de protection – qui n'était peut-être pas si mal, après tout.

— C'est une superbe clinique, hein ?

Elle s'est esclaffée.

— J'ai trouvé tout le monde absolument charmant. Ça vous donne envie d'y retourner.

Elle devait avoir quarante-six, quarante-huit ans. J'ai pris une première bouffée de cigarette et la tête m'a tourné. J'ai dû m'accrocher à son avant-bras pour garder mon aplomb. Elle aurait pu se raidir ou le retirer avec dédain, mais elle n'en a rien fait. Nous étions constitués de la même fibre. Cette maudite fibre qu'ils ne veulent plus mettre sur les présentoirs parce que les gens lèvent le nez et passent leur chemin. Dépassé ! disent-ils en fonçant vers le rayon du synthétique. Donnez-nous de la rayonne, du vinyle et du lycra !

— Je suis allé à cette clinique pour subir un électrocardiogramme et je suis ressorti avec un projet de vasectomie.

— Et vous croyez que c'est relié ?

— En fait, c'est un truc idéologique. Je tiens à participer à la stérilité collective.

Elle a tourné la tête vers moi en relevant un sourcil. J'étais déjà tombé amoureux d'une fille pour un sourcil relevé. Encore aujourd'hui, chaque fois que j'en voyais un, j'avais un pincement au cœur.

— J'ai bien essayé d'échapper à ce sentiment de sécheresse généralisée, mais je dois avouer qu'il a fini par me rattraper.

— J'ai subi une hystérectomie il y a six mois. On est deux.

— Je suis désolé.

— Y a pas de quoi. Je me suis jamais définie à partir de mes organes internes.

Je l'enviais. Moi, j'avais commis cette erreur et maintenant que tout ce qui en avait découlé était disparu, j'avais l'impression d'être en voie de devenir invisible.

— Je sais ce que c'est. Une femme de cinquante ans est si peu visible de nos jours.

— Une quantité négligeable.

— Oui, c'est ça. Qu'est-ce que vous faites dans la vie?

— Je suis horticulteur. Mais je suis pas convaincu d'avoir toujours un emploi. Ça fait un bout de temps que j'ai pas mis les pieds à la pépinière. Disons que mon patron et moi, on a de plus en plus de divergences d'opinions en ce qui a trait à l'aménagement paysager. Je crois plus tellement à l'organisation ni à l'ordre.

— C'est un problème.

Elle, elle travaillait dans un laboratoire sur l'identification des cadavres. Je n'avais rien à perdre, j'ai tenté ma chance:

— Si je vous envoyais mes dents, pourriez-vous me dire qui je suis?

— C'est possible.

Nous avons franchi quelques mètres en silence. Je me suis demandé si je n'avais pas été trop loin. Elle a consulté sa montre et elle a conclu qu'il valait mieux qu'elle prenne un taxi. Je suis descendu dans la rue et j'ai tout de suite repéré une voiture. Les choses vont toujours rondement quand ce n'est pas le moment. Je lui ai ouvert la portière. Une odeur de protecteur de cuir a pris la fuite. Je l'ai suivie dans les airs, je l'ai regardée se dissoudre dans l'espace, bousculée par le souffle chaud qui remontait de dessous la voiture.

La femme en noir s'est installée dans le véhicule. Elle a lancé une adresse au chauffeur avant de me sourire. Il serait faux de dire que je n'ai pas espéré un tas de trucs à ce moment-là, que je n'ai pas projeté quelques scénarios impliquant une chambre d'hôtel impersonnelle, un sac d'arachides de mini-bar éventré sur une table de chevet aux côtés d'un radio-réveil et d'une poignée de désenchantements partagés.

— Bonne chance pour votre vasectomie.

— Merci.

Et elle est partie en emportant toutes sortes de techniques qui peuvent parfois être utiles quand on cherche l'identité d'un mort.

7

Une maison, une femme et un enfant en guise d'abri. Un bunker contre la menace extérieure, contre l'insoutenable. Une vie érigée en palissade. Une vie complète en porte-à-faux du monde. Le terrain clôturé, merveilleusement paysagé pour faire oublier qu'en réalité il est ceinturé de murs. Des serrures aux portes, au propre comme au figuré. N'entre pas qui veut dans la tranquillité d'esprit, ne vient pas déplacer l'air à sa guise et risquer de désorganiser l'organisation.

Des regards à l'autre qui sont comme des chaînes. Pour qu'encore personne ne vienne chambarder le lien, le tunnel qui nous relie et dans lequel court la complexe fibre de nos sentiments. Je te regarde cent fois en quelques heures alors que nous sommes en public – il faut bien sortir malgré tout –, je certifie par là que tu es à moi et que je suis à toi et que personne d'autre n'a droit à cette exclusivité. Ce canal nous est réservé. Écartez-vous, je protège tout, je blinde lentement mais sûrement. Vingt ans comme ça, une vie comme ça, à monter des murs, à renforcer des remblais, à creuser des tranchées contre le monde entier, contre la cruauté, contre l'absurdité des souffrances, contre l'injustice du hasard, mais contre l'amour extérieur aussi, contre la vie aussi, indistinctement, toujours en embellissant l'intérieur du refuge pour essayer d'ignorer que ce n'est qu'un refuge et puis par inadvertance, ou peut-être par lâcheté, oublier que la menace peut venir de l'intérieur également.

J'étais planté sur le trottoir, je n'avais pas bougé. Cette fois ça y était, la pulsion de chaque geste, la motivation de chaque mot, l'étincelle allumeuse de chaque pensée, le carbone, l'oxygène et l'azote de toute vie, ce qui avait nourri tout déplacement, tout mouvement pendant vingt ans n'existait plus.

J'ai regardé à droite puis à gauche. Les gens passaient, les voitures filaient, il n'y avait que le temps qui ne bougeait pas. Il restait figé de l'autre côté de la rue à me regarder avec ses yeux globuleux de biche malade. Où était passée la belle époque des sacrifices ? Qu'on me tende un poignard que j'en appelle à la clémence des dieux ! Sacrifier quelque chose pour tisser des liens avec l'invisible, lancer des appels – comme des lignes – vers le haut afin de quadriller cet univers, de le cartographier pour que tout cet espace tienne dans une main et ait enfin du sens. Voilà, c'était un appel au sens.

J'ai repris ma marche. Tout est si simple quand on marche. Tout est si rassurant. Le pied qui se pose par terre arrête la chute. Puis c'est l'autre pied. Puis encore l'autre. Et on ne tombe jamais vraiment.

Michel a ouvert la porte. Je n'ai rien dit. Je voulais seulement ses yeux rassurant. Ils n'ont rien de rassurant en soi, mais le fait de les retrouver me suffisait.

— T'as une sale gueule, a-t-il lancé d'emblée.

— Merci.

— Entre quand même. T'as mangé ?

— Oui, la dernière fois que je suis venu ici. Tu te rappelles, on a eu un de ces plaisirs.

Il a pris son air de grand-mère et il m'a attiré à l'intérieur par l'épaule.

— Tu te moques de moi ? Et à l'hôpital ils t'ont rien donné ? Ça se peut pas, c'est ridicule !

— Oh ! arrête de chialer et montre-moi ce que tu as.

— Claire va te préparer quelque chose. Elle va t'équilibrer les protéines et tous ces machins en « ine » auxquels j'ai jamais rien compris.

— T'as jamais rien compris à rien, alors...

— Claire, a-t-il hurlé, le sympathique Eddy est de retour ! Qu'est-ce qu'on pourrait lui servir ?

— Je commencerais bien par un verre de rouge.

Il m'a serré contre lui.

— Oh que je t'aime, Eddy ! Tu peux m'expliquer pourquoi je t'aime autant ? Mange, ensuite on passe chez toi te chercher des vêtements.

— Pourquoi, qu'est-ce qu'ils ont mes vêtements ?

— Ils font pas très samba, si tu veux mon avis.

DEUXIÈME PARTIE

8

Michel est sorti de la chambre le torse bombé et le menton bien en l'air. Il avait passé une chemise noire ajustée et un pantalon moulant. Le genre de chose à éviter quand on mesure deux mètres, qu'on pèse cent vingt kilos et qu'une bonne partie des cellules adipeuses qu'on se trimballe siègent entre les seins et les genoux. Quant aux chaussures, hormis le talon surélevé sur lequel je ne m'étendrai pas, elles réfléchissaient tout ce qui émettait un tant soit peu de lumière, et n'eût été de son ventre proéminent, je crois que Michel aurait pu se coiffer en se mirant dedans.

— Comment tu me trouves ?

Claire est apparue à ce moment-là, ce qui m'a évité de lui révéler le fond de ma pensée. Elle avait enfilé une robe longue qui lui allait à merveille, le décolleté mettant sa jolie poitrine en valeur. Un homme normal aurait eu envie de la culbuter chaque fois qu'elle prenait une respiration. Moi, je me suis contenté de lui sourire.

— Ta femme est splendide. Quelle tristesse qu'elle soit tombée sur toi.

J'aurais préféré qu'ils m'attendent dans la voiture, le temps que je passe un costume, mais ils sont descendus, attirés par la douceur de la nuit. Michel avait envie d'une petite balade en amoureux dans ma forêt vierge. C'était le seul, à proprement parler, qui appréciait mon œuvre. Claire, un peu apeurée, probablement plus par ce que tout cela révélait sur ma personne que par l'état même des lieux, s'accrochait tout simplement à son bras et se laissait guider. Michel comprenait ma fixation, je crois, et c'était peut-être pour cette raison que j'avais ce grand con comme seul ami ; parfois, au détour, alors qu'on s'en doutait le moins, il saisissait le sens profond d'une chose.

Après avoir gueulé des mois durant « Mais qu'est-ce que tu fais, Eddy, tu vas pas laisser aller toutes ces années de travail. N'importe qui vendrait sa mère pour un jardin comme celui-là ! », il s'était tu, enfin, et le voilà qui restait muet devant ce qui se passait, lentement, tout naturellement, dans ma cour arrière.

Il aimait s'y balader, attiré par quelque chose d'indéfinissable, comme celui qui souffre du vertige se trouve souvent appelé par le vide. Michel n'avait certainement pas envie de se jeter en bas, comme moi, mais quelque chose en lui vibrait fort au bord de cette falaise. Les plus beaux instants de ces dernières années, je les avais probablement vécus sur la terrasse, un verre à la main, à regarder de loin mon ami circuler dans mon jardin.

De toute évidence, Véronique, en téléphonant ce matin, ne leur avait pas tout raconté. Ils se sont carrément figés devant les débris de meubles amoncelés près de la maison puis ils ont levé les yeux jusqu'à la fenêtre de la chambre de mon fils. La vitre était brisée et quelques tiges de vigne pendouillaient mollement du cadre. Même un « qu'est-ce qui t'a pris ? » bien senti semblait manquer d'à-propos.

Claire attendait avec impatience que Michel lui offre ses yeux. Elle, il y avait déjà un moment que je la dépassais. Je crois en fait qu'elle avait pitié de moi. Chez certaines personnes, la pitié apparaît souvent exactement là où débute l'incompréhension. Comme elles n'arrivent pas à pousser plus loin l'analyse, elles abdiquent et, comme d'autres optent pour le jugement et la condamnation, celles-là, à l'exemple de Claire, y vont pour la pitié. Qui sait quel parti elle aurait pris si Michel n'avait pas servi d'intermédiaire entre nous, si son bras justement n'avait pas été là comme une invitation qui disait « viens, ne crains rien, je t'emmène visiter un pays inquiétant mais extraordinaire » ?

Cette pitié et les limites qui la définissaient, je les comprenais. Claire travaillait si fort pour avoir une prise sur le monde. La méthode qu'elle avait développée afin de se rassurer consistait en la maîtrise absolue de tout ce qui rentrait dans son corps et dans le corps de ceux qu'elle aimait. L'univers dans lequel elle vivait n'était pas en expansion. Il ne risquait pas non plus de se replier sur lui-même dans quelques milliards d'années. De même, il ne comprenait ni haine, ni injustice, ni mépris, il était constitué de protéines, de glucides et de lipides. Bien entendu, dans ce monde-là aussi il y a avait les bons et les méchants, mais il était si simple de les avoir à l'œil. Ce mauvais cholestérol pouvait maintenant être sérieusement mis en péril par une simple poignée d'amandes quotidienne et un filet d'huile d'olive. Et la fibre, héroïne de ces dernières années – même si nous commencions à la soupçonner à grande échelle de provoquer le cancer du côlon –, utilisée stratégiquement pouvait ralentir l'absorption des glucides et ainsi éviter les emballements inutiles du pancréas.

Ce monde n'était pourtant pas à l'abri du drame. Valait mieux, par exemple, ne pas parler diabète devant Claire. C'était son néolibéralisme à elle, sa mondialisation. Elle voyait toutes les victimes qu'il allait faire dans les prochaines années. Et, pendant quelques secondes, ses forces la quittaient. Nous avions tous travaillé très fort à la construction d'une mégastructure personnelle qui pouvait nous contenir et nous protéger. Aujourd'hui, alors que la mienne volait en éclats, s'affaissait sous son propre poids comme un édifice désaffecté qu'on fait imploser avec science, j'avais envie d'aimer Claire plus fort, de la serrer contre ma poitrine et de la protéger de mon désastre.

En d'autres mots, j'avais vaguement honte de cette hécatombe. J'étais conscient de mon dérapage et j'avais peur qu'il entraîne la rupture du dernier lien de confiance qui subsistait entre nous trois. Mais Michel a réussi à contourner ce moment délicat en me proposant d'installer un plastique dans la fenêtre. Honnêtement, je n'en voyais pas l'utilité. Qu'est-ce qu'une ouverture de plus ou de moins allait changer au va-et-vient des petites bestioles qui s'intéressaient à mon domicile?

— Tu vas servir un verre à ta femme et tu vas asseoir ton gros cul sur la terrasse. J'en ai pour deux minutes.

J'ai contourné les chevalets et le plateau qui encombraient toujours le bas de l'escalier et je suis allé à l'étage. J'avais monté ces marches des milliers de fois en vingt ans. La sensation principale susceptible de m'étreindre, même après toutes ces années, c'était celle de les gravir pour aller chercher Maxime qui s'était réveillé et qui appelait de son lit. Mais étrangement, ce soir-là, c'est aux moments où j'allais rejoindre ma femme dans la chambre que j'ai pensé. Quand je le montais, lentement, marche par marche, avec un chatouillement dans la queue juste à l'idée de la trouver dans une position suggestive, la main glissée sous sa culotte, les yeux tournés vers la porte. Mais il n'y avait plus personne chez moi, ni Maxime ni Véronique. Je n'avais plus de point de chute, plus de fil d'arrivée. Chaque endroit, chaque place, était un lieu transitoire, un carrefour où je pouvais à peine ralentir.

Je portais les mêmes vêtements que la veille chez Michel, je n'avais toujours pas pris de douche et je ne m'étais pas rasé non plus. Dans la chambre, je me suis déshabillé devant la glace. Chaque fois que je me voyais nu, quelque chose me chicotait. Ce corps que j'avais développé avec toutes ces années de travail physique, ces muscles découpés, l'absence à peu près totale de gras et le hâle que me procuraient toutes ces journées passées à l'extérieur, tout ça jurait avec la sensation de dessèchement que je ressentais.

Mon pénis avait l'air jeune. La peau était lisse et douce. Mes testicules tenaient encore bien haut – allaient-ils perdre de leur majesté après ma vasectomie ? De l'autre côté, mes fesses musclées était joliment bombées. Mon torse et mes épaules constituaient le principal intérêt de la gent féminine et mes cuisses, qui avaient soulevé tant et tant de pierres décoratives, de sacs de terre, de gravier, de compost et d'engrais me donnaient l'air solide, quoique souple et agile. Même s'il n'en paraissait rien, je pouvais soulever des poids impressionnants, soutenir des efforts beaucoup plus longtemps que les hommes de mon âge et même que certains collègues dans la vingtaine. Manger si peu, boire autant et maintenir cette forme. Il faudrait que je me mette sérieusement à la cigarette.

— Qu'est-ce que tu branles ? a hurlé Michel avec toute la délicatesse qu'on lui connaît. Si on arrive trop tard, toutes les jolies filles vont être prises. Il va rester seulement les célibataires désespérées qui se sont inscrites à ce cours justement pour prendre au piège ceux qui arrivent en retard. Et je trouve pas le tire-bouchon ! T'es pas un vrai alcoolique, les vrais alcooliques en ont de cachés partout ! Tu crois qu'on devrait inviter Simone ? Elle danse, Simone ? Non, elle doit pas danser, Simone, elle est si bizarre, cette fille…

— Je trouve pas, s'est gentiment opposée Claire.

— Elle est très bizarre !

Et ploc ! le bouchon a sauté. J'ai donc pris le temps de me doucher, de me peigner et de passer mon costume. Quand je suis redescendu, Michel était claqué et Claire bâillait déjà aux corneilles.

— Tu t'es pas rasé ? a-t-elle demandé.

— Faut pas trop lui en demander…

J'ai embarqué le reste de la bouteille de vin, je l'ai calée entre mes genoux sur la banquette arrière. Michel a baissé le toit et il s'est mis à enfiler les rues le plus vite possible, sidéré par tout ce temps qu'il fallait mettre pour se traîner d'un feu de circulation à l'autre.

Depuis des mois, je n'avais pas d'autres caresses que celles du vent, du soleil et de la pluie. Ma peau s'adoucissait pourtant, comme en signe de supplication. J'ai donc pris ce vent comme on se rabat sur les putes, les yeux fermés, la tête bien appuyée sur le dossier. Si j'avais pu me mettre à poil, je l'aurais fait, et si le vent avait pu charrier dans son giron des feuilles mortes, ça aurait été encore mieux – des feuilles, des pétales, des brindilles sèches ou mouillées se plaquant ici et là sur mon visage, mon ventre, à l'intérieur de mes cuisses.

Simone est montée à mes côtés. Mon costume l'a passablement impressionnée. Elle aimait le contraste entre la classe de la coupe et cette saloperie de poil qui me couvrait le visage. Sans parler de la coiffure absurde que le vent m'avait modelée. J'ai reposé ma tête sur le dossier, respirant enfin librement. Le vin et Simone…

Elle s'est envoyé une gorgée à même le goulot en me regardant du coin de l'œil.

— Qu'est-ce que je m'en vais foutre dans une soirée de samba? a-t-elle lancé avant d'éclater de rire.

J'ai souri en fermant les yeux. Elle a posé sa main sur la mienne.

— Il n'y a que vous trois pour m'entraîner dans des histoires pareilles.

Et j'ai entendu les gargouillements d'une autre gorgée.

La voiture s'est remise en marche en douceur. Tout était absolument parfait et les choses d'une clarté ahurissante. L'état de nos vies, l'état du monde, je ressentais tout ça avec netteté et sans chagrin. Nous roulions tous les quatre en silence et j'avais l'impression que chaque geste que j'avais fait, chaque parole que j'avais prononcée durant ma vie étaient contenus en moi. De mes premiers pas, mes bras battant l'air maladroitement, à ce nouveau-né que j'avais lavé avec une débarbouillette trempée d'eau tiède. De mes propres chutes à ces petits cailloux que j'avais retirés un à un dans la chair à vif de ses genoux. De cette femme qui m'avait donné le sein à celles qui avaient dénudé leur poitrine pour moi. De la semence de mon père à la mienne, déposée des milliers de fois dans le ventre chaud de Véronique. Tout, j'étais tout ça. J'avais vu mon père mourir, je l'avais vu abdiquer sans demander grâce, sans demander de l'excuser de s'en aller et ce soir-là j'avais fait l'amour pour que tout continue. J'avais vu une femme que j'aimais se faire frapper de plein fouet par une voiture. J'avais vu sa photo dans tous les journaux de tous les stands à journaux de toutes les rues que j'avais arpentées après. J'avais eu sa présence morbide entortillée autour de moi pendant toutes ces années. Entortillée, enchevêtrée avec la présence de mort de mon père. J'avais senti, chaque jour ou presque, des douleurs majestueuses s'installer dans mon ventre, tordre tout ce qui peut être tordu, broyer du diamant comme de la roche friable et laisser croire que rien ne pourra jamais faire aussi mal. Mon cœur avait cogné dans le vide des centaines de fois, il s'était emballé pour le meilleur, il s'était soulevé pour le pire. Et ce n'était pas fini. J'avais mis mes mains dans la terre, j'avais fouillé la terre, j'avais creusé la terre, les ongles noircis de terre dans l'odeur de terre, de fleur, de sève, de pollen et de feuille. J'avais semé, attendu et espéré. J'avais prié. J'avais rêvé des choses pour les gens que j'aimais, je leur avais souhaité le meilleur alors qu'ils ne me demandaient rien. J'avais fait des milliers de gestes gratuits. Parfois j'avais été si bon que j'avais cru naïvement que ça y était, que j'étais devenu un être humain meilleur. Et j'avais passé des nuits entières sans fermer l'œil parce que j'étais l'individu le plus seul au monde. Puis je m'étais retourné pour me blottir contre la femme que j'aimais.

Et ce soir j'étais tout ça.

Je croise Simone à la pépinière. Pour l'instant, ce n'est qu'une inconnue qui flâne dans les allées à la recherche de fleurs qu'elle ne connaît pas et qui sauront l'étonner. Moi, je regarde les arbres, un bouleau pleureur – *Betula pendula* – d'une quinzaine de pieds. Je m'assure que la squeletteuse, un insecte broyeur et défoliateur, n'y a pas établi son camp. Je voudrais avoir la force de le prendre sur mon dos pour l'emporter, à pied, jusque chez moi. Je ne sais pas pourquoi, je remue seulement cette idée en tournant autour de l'animal, en examinant la solidité de ses branches, la force de ses racines.

Simone pose une boîte de fleurs sur son chariot. Elle sera veuve sous peu et la sensation de la mort ne la quitte déjà plus. Elle s'en est fait une alliée. Je ne sais pas encore qu'à ses côtés on a les pieds dans le vide, que la falaise est là, en dessous, prête à nous avaler, et qu'elle donne le vertige avec cet air de ne pas savoir de quel côté de la ligne invisible elle se tient. Je ne sais pas non plus qu'elle dégage aussi une paix innommable pour les mêmes raisons. Une quiétude hors de ce monde.

Je m'approche pour lui offrir mes services. Quand Simone sourit, vous avez à la fois envie de la renverser dans un buisson pour lui faire les pires choses, envie de la prendre contre votre poitrine et de lui dire que la vie ne sera pas toujours aussi cruelle, et envie, aussi, que ce soit elle qui presse votre tête contre son sein. Je sais déjà, sans la connaître, juste à l'observer, qu'elle est seule de son genre. Et je comprends alors pourquoi j'aurais voulu emporter mon arbre ; pour que Simone se dise « tiens, un homme à qui il pousse un bouleau au milieu du dos. Une espèce rare ».

La plupart des figures de la samba peuvent se dérouler dans un faible périmètre. Elle peut donc être dansée sur place comme le cha-cha-cha ou le rock, mais à la base, c'est une danse d'évolution qui devrait se déployer sur toute la piste, comme le tango ou la valse. Et c'est précisément ce que faisaient Michel et Claire, filant gracieusement entre les autres couples. Leur professeur, un petit homme raide qui devait son panache à un torse étonnamment bombé, se tenait debout près de la piste et tapait des mains en leur lançant des cris d'encouragement. Simone et moi sirotions nos *mojitos*, les yeux écarquillés, la bouche entrebâillée, complètement sous le choc. J'aurais voulu trouver une faille, un travers pour arriver à me moquer d'eux quand leur petite séance finirait, mais je ne voyais pas. J'étais quasiment fier d'être vu en leur compagnie.

Chaque fois que le couple favori passait près de notre table, Michel nous envoyait son sourire plaqué argent alors que Claire, beaucoup plus humble, feignait de se concentrer sur la suite des pas. Simone avait posé sa main sur ma cuisse, tendre comme à son habitude. Ça la rassurait de me voir dans cet état de détente. À vrai dire, ça me rassurait aussi. J'ai tourné la tête et je l'ai regardée droit dans les yeux. La tristesse luisait dans son œil. Comment expliquer ça ? La tristesse, c'était sa toile de fond, son canevas. Tout ce que Simone faisait, même rire, venait se déposer sur cet horizon et l'ensemble finissait par ne plus avoir l'air triste. C'était peut-être ça, la mélancolie.

Nous nous sommes donc regardés un moment. Et j'ai senti pour la première fois que cette femme aurait pu m'entraîner loin. J'aurais pu prendre sa main et la suivre n'importe où sans poser de questions. Jusqu'à la mort peut-être. Plonger dans ses yeux, c'était regarder de l'autre côté, dans les savanes intérieures, aux confins du temps. Mystérieuse Simone. Il y a de ça deux cent mille générations, sur des terres parfaitement vierges, des troupeaux humains migraient lentement. La Terre s'étant rafraîchie et les derniers bouquets d'arbres qui subsistaient à l'est de la vallée du Rift disparaissant peu à peu, les antilopes de brousse deviennent les antilopes coureuses ; les hipparions, des chevaux. Et en l'Homme se prépare une transformation extraordinaire. Dans la peur et l'angoisse, devant l'urgence de s'adapter, le cerveau fait un bond fulgurant et, à coups de forceps, la conscience s'extirpe pour de bon des ténèbres.

Dans les yeux de Simone, tout ça était là, intact. Avec des caps escarpés qui surplombaient la mer, avec des geysers qui expulsaient brusquement leur colonne de vapeur, avec des blocs entiers d'iceberg qui se détachaient et glissaient vers la mer en un bruit sourd qui s'en allait résonner jusqu'au creux des os.

— Emmène-moi chez toi.

Le sourire s'est estompé et il n'est resté que l'horizon de tristesse.

— Laisse-moi passer la nuit chez toi, Simone. Je vais pas bien.

Michel et Claire sont revenus à ce moment-là. Ils se sont plantés devant la table et ils ont attendu notre verdict. Ils étaient tous les deux à bout de souffle et Michel suait à grosses gouttes.

— Et alors ?

— Ouf ! ai-je seulement laissé échapper.

— Oui ? Ça t'a épaté à ce point ?

J'étais ému, mais ça n'avait rien à voir avec eux. J'ai quand même hoché la tête. Le petit professeur s'est aussitôt ramené pour féliciter ses chouchous. Michel et Claire se sont tournés vers lui et mes yeux sont restés accrochés au dos de Michel. J'ai senti Simone qui se levait. Elle va partir, me suis-je dit, je suis allé trop loin. Elle a rejoint Michel et Claire de l'autre côté de la table.

— Félicitations. C'était splendide. Vraiment.

Claire a souri de toutes ses dents, visiblement contente.

— Je vais m'en aller, maintenant. Je vais rentrer.

Michel était déçu que la petite fête se termine si vite. Pour lui, une soirée qui s'achevait avant six heures du matin, alors qu'il avait encore toute sa conscience, était ni plus ni moins qu'une soirée ratée.

— Édouard va venir avec moi, a ajouté Simone. Je m'occupe de lui.

9

Quatre ou cinq canettes de Coca-Cola avaient été nécessaires pour fabriquer l'hélicoptère modèle réduit que Simone avait acheté dans une boutique de Hô Chi Minh-Ville. J'ai toujours été fasciné par cet objet d'un goût plus que douteux.

— On a pas fini de constater les ravages de cette guerre, ai-je lancé à la blague.

Voilà, j'étais là, chez elle, entouré de livres, de photos de Jon et de quelques-uns des objets qu'elle avait rapportés de ses voyages. Un pistolet indonésien sculpté dans du bois de bananier et capable, grâce à un ingénieux système d'élastiques, d'envoyer une aiguille à coudre à plus de cinq mètres. Un pot de pilules amaigrissantes PetTrim pour chiens et chats obèses. En vente libre aux États-Unis, évidemment. Et ma préférée, un postiche de poils pubiens trouvé au Japon, couru par les adolescentes mécontentes de leur toison peu fournie à l'approche de la rentrée scolaire, quand elles savent qu'elles auront à se dénuder devant leurs consœurs.

Les planchers reluisaient, les meubles étaient libres de toute poussière et un ordre impeccable régnait. Le revêtement extérieur venait d'être remplacé, la pelouse était verte et pétante de santé et le jardin, magnifiquement organisé, exhalait le calme et la sérénité d'un cloître. Simone s'était figée dans le temps comme moi à une certaine époque, avant que ne s'amorce ma dégringolade.

— Que vas-tu faire de ta maison ?

— Qu'est-ce que tu veux dire ?

— Maintenant que Maxime est parti, pourquoi tu ne la mettrais pas en vente ? Pourquoi tu ne reviendrais pas en ville ?

À l'écouter, Maxime n'avait pas complètement tort, je vivais dans un environnement sinistre. J'aurais pu lui répondre « t'as regardé un peu autour de toi, la vie que tu mènes depuis dix ans ?! ». Mais je savais qu'elle n'y croyait pas elle-même, qu'elle s'était demandé ce qu'une personne normale aurait dit à propos de mon avenir et qu'elle avait tout simplement prononcé les mots.

— Non, j'aime ce que représente cette maison.

— C'est-à-dire ?

— Le délabrement de toute ma vie.

Cette résidence et la jungle qui l'entourait maintenant avaient vu passer presque toute ma vie d'adulte. J'y avais érigé un amour, une famille, une situation professionnelle et puis, dans les dernières années, toutes ces choses s'étaient déglinguées une à une, lentement, inexorablement. Cette maison, c'était ma vie rongée par le temps, c'était ma propre désagrégation. En fait, je crois que mon ambition était de vivre assez vieux pour la voir s'écrouler complètement, usée par les années et le manque d'entretien. Sous cet aspect, j'avais accueilli avec beaucoup d'enthousiasme les premières fuites dans le toit.

Simone a bu une gorgée de rhum. Un Barbancourt cinq étoiles aux effluves de pacanes, de café grillé et de dates qu'elle avait rapporté de Haïti avec une inquiétante poupée vaudou bénie par une prêtresse du nom de Sarah. Nous avions décidé de poursuivre notre soirée samba. D'accord, nous mélangions un peu les cultures, mais tout ça n'avait plus tellement d'importance. Je commençais à être saoul et j'imaginais que Simone, même si elle n'en laissait rien paraître comme à son habitude, ressentait elle aussi les effets de l'alcool. Je regardais son visage, son cou, ses seins lourds et ses pieds nus qu'elle avait ramenés sous elle. Je me demandais comment allait se dérouler la suite des événements.

— Je suis nerveuse, a-t-elle laissé tomber. Je ne suis plus habituée à la présence d'un homme dans ma maison.

J'ai ri. Elle a fait un signe de la main, elle croyait que je me moquais d'elle. Ce désarroi qui l'envahissait quand venait le temps de parler de ces choses me touchait particulièrement.

— Je sais que tu vas me demander de dormir avec moi. Et je ne sais pas encore ce que je vais répondre.

— Pourquoi je te demanderais une chose pareille ?

J'ai baissé les yeux. La moquette était superbe. Ses longs poils synthétiques d'un blond très appétissant rappelaient les choux à la crème sans la crème. On avait envie de s'étendre dessus, de s'y enfoncer, de se laisser absorber.

— Est-ce que je peux dormir avec toi ?

Ses yeux se sont recouverts d'un film liquide. Elle a dû ouvrir la bouche pour respirer avec plus de facilité.

— Pourquoi tu me fais ça, Édouard ?

Simone avait les lèvres de la plaie toujours saillantes. La blessure ne guérissait pas. Depuis que son mari était mort à quarante-six ans dans des douleurs inimaginables, elle se promenait, ici et le plus possible ailleurs, dans un corps à vif. Avec les années, au lieu de s'endurcir, elle avait acquis une sorte d'hypersensibilité et tout ce qu'elle voyait maintenant, injustice, incompréhension et souffrance, tout ce qu'elle ressentait, chagrin, désir ou compassion, tout ça cravachait ses plaies.

— Qu'est-ce qui va arriver si tu me touches, Édouard?

— Mais je vais te toucher. Je vais me plaquer dans ton dos, je vais mettre ma main sur ta hanche. Tu vas sentir mon souffle sur ton cou. Et on va s'endormir comme ça.

Elle a fermé les yeux en hochant la tête.

— Pourquoi tu me fais une chose pareille?

Quand elle les a rouverts, ses yeux étaient noyés de larmes. Je me suis levé et je lui ai tendu la main. Elle n'a pas bronché, ne m'a même pas jeté un regard. Je l'ai incitée à se lever et je l'ai entraînée vers l'escalier sans tourner la tête. Quelque chose me disait qu'elle ne voulait surtout pas être vue. Dans la chambre, je n'ai pas allumé la lumière. J'ai dirigé Simone vers le lit et j'ai simplement laissé tomber sa main. Elle s'est assise. Je me tenais debout à soixante centimètres d'elle. J'ai enlevé mon veston et je l'ai posé sur la chaise. Puis j'ai retiré ma chemise, mes chaussures et mes chaussettes. Quand j'ai détaché la boucle de ma ceinture, elle a levé la tête. J'ai descendu mon pantalon et mon caleçon dans le même élan. Soixante centimètres entre mon ventre et sa joue, entre mon sexe et ses lèvres, entre mes cuisses et ses mains. Quelque chose brillait dans son regard. Quelque chose comme le souvenir d'une vie passée. Comme si le sacrifice qu'elle avait consenti durant toutes ces années prenait enfin à ses yeux sa juste part de gravité – qu'on lui reconnaissait depuis si longtemps, nous, de l'extérieur.

J'ai de nouveau tendu la main et Simone s'est levée. J'ai détaché sa blouse doucement et je l'ai fait glisser le long de ses bras. Elle avait peur de ce que j'allais penser de ses seins, je l'ai senti dans son port de tête. J'ai attendu. Elle a fini par se résigner et par dégrafer son soutien-gorge en regardant de côté. Elle tenait les deux extrémités derrière son dos, mais elle ne l'ôtait toujours pas. Je les lui ai retirées des mains et j'ai dégagé lentement sa poitrine. Ses gros seins tombaient de belle manière. J'en avais marre des seins frais et dispos que des tissus jeunes et fermes tenaient haut et fier, ces petits seins hautains qui dessinaient au ciel des constellations du bout du mamelon. Moi, j'avais envie de cartes du territoire, de routes et de frontières au sol, gravées par un mamelon couronnant un sein lourd, chaud et nervuré.

J'ai avancé les mains à cinq ou six centimètres d'elle. Et je les ai déplacées devant son corps comme si je la caressais. Elle m'a regardé un moment avec étonnement puis elle a fermé les yeux en prenant une grande respiration. Son mamelon droit s'est durci, j'ai vu la peau cuivrée de l'aréole se resserrer. Je suis monté jusqu'à son cou, toujours en maintenant la distance, puis je suis passé à son visage. Elle a envoyé sa tête légèrement vers l'arrière et l'a inclinée quelque peu sur le côté. Difficile à expliquer, mais même sans qu'elle sourît, même avec les yeux fermés, c'est comme si ses traits s'étaient dilatés. Sa bouche s'est entrouverte et Simone m'est apparue comme une veuve en pleurs qui touche l'extase dans la douleur.

Elle a détaché son pantalon et l'a laissé tomber à ses pieds. Je la sentais d'une telle fébrilité. Tout en elle vibrait, oscillait et bourdonnait. Puis elle a eu un accès de conscience:

— Ne ris pas de ma culotte.

Évidemment j'ai éclaté d'un grand rire. La chambre s'en est trouvée saturée. Elle a retiré le vêtement et je me suis tu. Je me doutais de ce que pouvait signifier pour une femme de cinquante-quatre ans de se mettre nue devant un homme de treize ans son cadet.

Nous sommes assis côte à côte dans le cinéma. Il n'y a pas une heure que j'ai fait sa connaissance. Le film parle d'amour, nous ne l'avons pas choisi, nous sommes entrés au milieu de la séance sans savoir. Simone est inconsolable. Je lui propose à plusieurs reprises que nous sortions, mais elle ne veut pas.

Je l'ai aperçue de loin à la pépinière, plantée debout, immobile. Je servais des clients et de temps à autre je lui jetais un regard. Une dizaine de minutes plus tard, comme elle n'avait toujours pas bougé, je me suis approché. « Est-ce que je peux vous aider ? » Elle est sortie de sa torpeur avec un air d'animal traqué. Je l'ai entraînée jusqu'à un banc avant d'aller lui chercher un verre d'eau. C'était l'heure de la fermeture, les clients, les employés allaient et venaient devant nous. Simone tenait son verre sur ses genoux, son dos voûté, ses cheveux décoiffés, ses yeux rougis et boursouflés.

— Vous êtes venue en voiture ?

— Je ne sais pas... Non, c'est vrai, je n'ai pas de voiture.

Je lui ai offert de la raccompagner. Elle n'a pas protesté. Mais elle tenait à rapporter un arbuste, un arbre, enfin quelque chose qui durerait toujours.

— En vous déposant chez vous, je vais faire le tour de votre jardin et demain je vous apporterai une essence appropriée.

Je lui ai tenu le bras jusqu'à ma voiture. J'ai commencé à enfiler des rues, à tourner ici puis là, dans un état étrange. Après quelques minutes, elle a détaché sa ceinture et elle m'a demandé de l'amener au cinéma.

Alors Simone pleure, et moi, je lui propose que nous quittions la salle, je serre sa main dans la mienne ou je lui tapote l'épaule. Elle pleure en silence la mort de son mari et elle ne dérange personne. Elle est parfaitement seule dans ce chagrin. Et tout à coup elle prend ma main et elle la plaque entre ses jambes, à la fourche de son pantalon, tout contre son sexe. Et c'est si chaud là-haut. C'est si tristement chaud. Et elle presse cette main contre sa vulve en regardant cet homme et cette femme qui vont se quitter à l'écran et en pleurant abondamment celui qui est parti et qui l'a laissée derrière. Et cette main presse son sexe comme on exerce une pression sur une plaie pour empêcher que la victime ne se vide de son sang.

Son ventre, ses cuisses, sa chatte sauvage qu'elle n'entretenait pas, tout ça formait un ensemble d'une grande beauté. *Pleine* et *gorgée* sont les mots qui se sont superposés dans ma tête. J'avais envie de lui dire « touche-moi, serre-moi, je veux tes mains, ton souffle, des bandes larges de ta peau brûlante sur la mienne, des pièces de toi plaquées contre moi comme des pansements ou comme des greffes, pose une couverture d'amour sur mes épaules fatiguées, masse de ton amour mes muscles raidis, lubrifie de ton amour mes articulations corrodées, fais de moi une mécanique chaude et bien huilée, que l'air entre et sorte de mes poumons avec rythme, que mon cœur vigoureux batte lentement mais fort, que je devienne un objet de précision, une puissance orientée ».

J'ai franchi ce pas qui nous séparait. J'en oubliais mes malheurs, seuls les siens subsistaient, ses résignations, ses craintes, sa honte d'avoir vieilli seule. Se seins, pressés contre moi, se sont épanchés sur ma poitrine, son ventre s'est cimenté au mien, m'enveloppant, et mon sexe a trouvé refuge contre son pubis, dans sa formidable toison. Sa respiration étrangement profonde me rappelait celle de mon fils, plus jeune, après une blessure qui l'aurait mené jusqu'aux pleurs, aux tremblements et aux hoquets. Le calme revenu, ce moment où la douleur et la peur cessaient de palpiter, la respiration devenait étrangement sourde, comme issue d'une profondeur insoupçonnée. Le souffle de Simone montait maintenant du lieu de tous les soulagements.

— Tu vois ? ai-je seulement glissé.

— J'ai peur, Édouard.

— Je sais.

Elle craignait de ranimer quelque chose qui changerait à jamais sa vie. Sa frayeur était tangible, palpable, je pouvais presque en dessiner la forme, et cette présence intense et remarquable m'empêchait, si j'y repense bien, de voir ma propre peur se profiler.

— Tu n'as pas d'érection, je ne te plais pas.

— J'ai pas envie de faire l'amour.

— Je te comprends. Je n'aurais pas envie, moi non plus, à ta place.

Elle s'est détournée et elle est passée de l'autre côté du lit. Elle avait soudainement l'air vieille. Elle s'est allongée et a ramené les couvertures sur elle. J'avais l'impression d'assister à la scène qui devait se jouer chaque soir ici, dans la solitude la plus totale, depuis dix ans.

Le fait de ne pas avoir d'érection ne me causait pas de problème. Ces derniers temps, les choses avaient évolué lentement en ce sens et l'intérêt avait disparu au même rythme que les capacités. Ou vice versa. Je n'avais pas fait l'amour depuis quinze ou dix-huit mois peut-être. Je ne me masturbais pas non plus. De toute manière, je n'avais pas envie de Simone. Je ne l'avais jamais vraiment considérée sous cet angle.

J'ai été m'asseoir près d'elle. Elle a sorti une main pour caresser mon bras puis ma poitrine.

— Faut pas que tu m'en veuilles, ai-je dit.

— Je sais.

Elle a descendu sa main jusqu'à la base de mon sexe. Elle a glissé son index sur toute sa longueur comme s'il s'agissait d'un objet qu'elle voyait pour la première fois, pas un objet de désir, mais une curiosité qu'elle dénichait au fil d'un voyage. Puis elle l'a soulevé entre son pouce et son index. Elle a regardé dessous. Elle l'a tourné, étiré, décalotté. Je crois qu'elle se demandait comment cette petite bête et son vis-à-vis s'y prenaient pour donner tout cet élan au monde. Et comment elle, Simone, avait pu se passer de tout ça durant toutes ces années.

Et puis brusquement son expression a changé. Elle a levé les yeux vers moi et, même si j'ai fait non de la tête, elle s'est approchée et elle m'a pris dans sa bouche. Un long soupir de soulagement s'est échappé d'elle. J'imaginais que ça avait très peu à voir avec moi, que c'était comme une sorte de réconciliation. À mon grand étonnement, je me suis tout de suite mis à bander. J'ai grossi dans sa bouche en un rien de temps. Sous les couvertures, son autre main est allée se réfugier entre ses jambes.

Simone se réveille au milieu de la nuit. Quand elle se retourne dans l'obscurité et qu'elle étend le bras, elle ne rencontre rien. Elle s'assoit sur le bord du lit pour reprendre ses esprits puis elle se lève, entièrement nue. Son corps ne se meut plus tout à fait de la même manière. Ses hanches roulent sans contrainte, ses fesses charnues dodelinent librement, ses seins, en plus des petits mouvements ascendants et descendants que lui imprime sa marche, sont secoués aussi latéralement, ses mamelons dessinent donc de jolis petits cercles dans l'air. Tous ses tissus sont maintenant gorgés de sang, de sève et de désir.

— Édouard ?

Elle passe par le boudoir puis par la salle de bain.

— Édouard ?

Finalement la cuisine. C'est bon, la fraîcheur des tuiles de céramique sous ses pieds chauds et gonflés. Elle approche de la fenêtre. Il y a une possibilité qu'Édouard soit étendu dans l'herbe, à poil, sous l'amandier décoratif qu'il lui a offert le lendemain de la mort de son mari. Avec quelque chose à ses côtés, peut-être une bouteille de Barbancourt. Mais non, il n'y est pas.

10

J'arrive de loin.

J'arrive de ma mère si gaie et si aimante. Ma mère qui chantonne en conduisant la vieille automobile de mon père, les deux mains sur le volant, le dos trop droit et la tête trop avancée. Ma mère qui chantonne devant la cuisinière en s'essuyant les mains sur son tablier alors que les casseroles répandent leurs odeurs familières d'oignon, d'ail et de viande bouillie. Ma mère qui chante en reprisant avec ses gestes précis et gracieux. Ma mère qui se maquille en me lançant des regards en coin alors que je l'observe, assise sur son lit, et qui marque exagérément chaque mouvement parce qu'elle veut que je commence à les retenir.

Ma mère si gaie et si vivante avec son rire imprévisible qui surgit de nulle part comme un papillon et qui traverse la pièce dans un vol électrique. Et ses mains tendres qui lavent mes cheveux à l'évier de la cuisine. Et ses yeux rassurants quand elle dit que je vais être belle. Ma mère si tendre prenant le bras de mon père et se pelotonnant contre son flanc.

Ma mère gaie et aimante qui finit par se suicider en ne laissant qu'une courte note : *Pardonne-moi, Simone, mais tout est si lourd.*

J'arrive de loin. J'arrive de mon père silencieux et aimant. Mon père si fort qu'il peut me soulever, me rouler sous son bras ou me jeter sur son épaule pour m'entraîner n'importe où alors que je me débats en riant de mon rire criard de petite fille. Mon père qui plaque son immense main sur mon ventre brûlant pour faire passer un mal obscur. Mon père et ses lèvres charnues et sa joue rêche sur mon ventre, sur mon torse, dans mon cou, sur mes joues. Et moi qui me tortille comme un ver. J'arrive de là, des yeux de cet homme qui voit en moi quelque chose d'inespéré. Quelque chose qui rend sa femme si gaie. Et qui le rapproche, lui, de son propre corps, du toucher, de la chaleur, de l'odeur, de l'envie d'être en contact avec le monde. Quelque chose qui le sauve de l'obscurité.

Mon père et ma mère mille fois surpris à discuter à la table de la cuisine. Mon père qui raconte en peu de mots, de sa voix posée et grave, sa journée de travail. Et j'imagine un bâtiment immense où l'on circule en bottes, même l'été, et où il n'y a que de grands hommes doux avec des vêtements tachés, des marques de graisse sur le visage et les bras, et qui laissent des empreintes de doigts sales dans le pain blanc de leur sandwich.

J'arrive aussi du moment où, vers l'âge de douze ans, mon père marque une distance tranchante entre son corps et le mien. De la panne sèche et éternelle. J'arrive de ses regards en coin quand il me surprend seins nus à traverser vite, vite le corridor, des toilettes à ma chambre. Ce regard un peu trouble. Ce regard qui me gêne mais que j'aime parce que c'est tout ce qui reste de physique entre nous. Pas question de désir ici, plutôt de la peur du désir. J'arrive de cette pensée : je suscite la peur du désir.

Mon père qui regarde ma mère en croyant qu'il en a de la chance d'être tombé sur une femme-papillon. Et puis après sa mort, mon père mille fois observé assis à cette même table, le regard dilué dans l'espace vide. Si vide. Tous ces mètres carrés laissés à l'abandon, ce reg, ce désert de pierraille qu'elle nous a laissé sur les bras. Des années et des années à casser de la pierre dans la cuisine, dans le salon, dans la chambre à coucher, des siècles à charrier du gravier à la pelle.

— Viens t'asseoir sur moi, Simone.

J'ai seize ans, ça fait quatre ans que mon père ne m'a pas touchée. Deux mois que ma mère est morte. Son corps comme son cœur trempent dans une obscurité liquide. L'air exerce une si grande pression sur ses épaules qu'elles se voûtent de jour en jour. Il manque de tout. Je comprendrai plus tard. Je comprendrai si bien plus tard. Je m'approche de lui, un peu craintive car c'est un tout nouveau chemin qu'il faut défricher. Il écarte sa chaise de la table et il me présente ses genoux. En quatre ans, mes fesses et mes hanches se sont développées, mes seins se sont alourdis. Et le désir parfois, souvent même, arrive brusquement, liquide et chaud entre mes jambes. Je suis toute seule avec un corps de femme sur les bras et ces regards qui fusent de partout, dans la rue, à l'école, chez mes amies. Sans les yeux rassurants de ma mère quand elle dit que je serai belle. Je pose mes fesses sur les cuisses de mon père et je passe un bras autour de son cou. Je sens mon sein qui touche son épaule. Il passe ses bras autour de moi et il me serre contre lui, il me broie enfin, reprend enfin sa place, quatre ans plus tard, enfin, et toutes mes peurs se volatilisent d'un coup. Sa main devient immense dans mon dos, son odeur de père m'enveloppe au complet, et ses larmes troublantes d'homme fort et brisé, à vous faire revoir tout l'ordre du monde, roulent dans mon cou jusque sous mon chandail.

J'arrive aussi des bras de Jon. Je tombe, même, de ses bras puissants autour de ma taille ou sous mes fesses alors que son corps entier m'écrase dans la porte d'entrée et que son ventre presse contre le mien et que son sexe ouvre un passage brûlant dans mon ventre. De ses mains qui malaxent, qui pétrissent, qui broient mes fesses, mes seins, mes cuisses, mes hanches avec une violence ouatée qu'on voudrait éternelle.

Je suis déjà toujours en voyage. Je marche dans Berne, je cherche la trop célèbre fosse aux ours. Je descends Kramgasse depuis la tour de l'Horloge vers le pont Nydeggbrücke. Mes pas résonnent sur le pavé et se répercutent jusque sous les arcades. Les femmes riches et élégantes sortent des boutiques. Mon jean est sale et mon chandail à manches longues troué aux poignets. Je ressens soudainement tout ça très fort. Mais c'est tout de même sur mon passage que Jon se retourne.

Bärengraben, la fosse aux ours. Je regarde un peu perplexe les touristes japonais jeter des friandises et de vieux Bernois qui passent là tous les jours pour saluer les bêtes. Au moment où j'attaque le sentier qui descend vers la rive de l'Aar, j'aperçois le Norvégien qui marche sur le pont, un peu plus loin. Je pense à mes cheveux noués – sont-ils bien attachés, je n'ose pas vérifier –, à mon chandail juste un peu trop court et à mon cul qui va lui sauter aux yeux. Bärenplatz, le lendemain, je circule entre les terrasses des cafés en scrutant vite, vite les menus pour trouver un sandwich et un espresso à un prix raisonnable. Quelqu'un attend un peu plus loin, immobile dans la lumière aveuglante du midi. Un coup de vent m'arrache un menu des mains, je cours le rattraper en riant, un peu gênée, sous le regard sévère du serveur. Je décide de m'installer là pour ne pas l'agacer davantage. Jon le Norvégien a eu le temps de quitter son poste de guet, de s'approcher et de prendre la table voisine. Il se moque gentiment de moi. Je ne sais pas quoi lui dire, son visage est si doux sous ses trait si durs qu'il me désarme déjà.

— Trois fois en deux jours, lui dis-je, cette ville est vraiment petite.

— Vous croyez?

Et pour la première fois de ma vie je ressens un trouble profond. Pas le petit frémissement intérieur qui jaillit quand un joli garçon regarde ma poitrine à la volée. Ni même l'affolement d'ouvrir les cuisses pour un homme que j'aime en observant, fascinée, la venue de sa petite mort malhabile. Non, un trouble réellement profond. Un trouble qui vous rentre sa main par la bouche et qui s'en va vous broyer le ventre de l'intérieur. Un trouble qui inquiète parce qu'il risque de faire passer à l'acte; on n'est plus tout à fait sûre de pouvoir s'empêcher de dire qu'on en a envie maintenant, tout de suite, là, brusquement, jusqu'au fond, en laissant aller sa tête de tout bord tout côté et en suppliant, et en exigeant, et en ordonnant tellement on cherche à se noyer dans ce désir immense sans même craindre une seule seconde de devenir au yeux de l'autre quelque chose qui le dépasserait, qu'il ne pourrait pas comprendre et contenir de ses bras, de ses mains, de son bassin et de ses lèvres.

J'arrive de cet immense trouble d'avoir ressenti une fois dans ma vie le commandement intérieur de me mettre à genoux devant un homme, d'offrir ma bouche à son sexe, ma tête à ses mains et d'obéir. Et de faire la même chose avec toute ma vie. De la lui offrir à la seule condition qu'il continue à chaque seconde de donner à chaque chose son juste poids, sa juste gravité, qu'avec lui la vie se dévoile telle qu'elle est, ni plus gaie ni plus triste, juste telle qu'elle est en réalité.

J'arrive du jour de juin où l'oncologue est venue me trouver pour m'annoncer que Jon était mort durant la nuit, que son immense cœur n'avait pas tenu, épuisé par la douleur et la morphine. Et moi qui ne pouvais arrêter de penser aux gants de daim qu'il avait oubliés à la maison. Son gant droit posé sur son gant gauche, sur la console de l'entrée. Vision absurde en plein mois de juin. Je lui avais dit, une fois dans le taxi, « je vais aller chercher tes gants, tu vas avoir froid », mais il n'avait pas voulu. Il avait joint ses mains entre mes cuisses afin de les réchauffer. Lui-même n'y arrivait plus. L'air, le temps, le vent passaient déjà à travers lui.

L'oncologue m'expliquait la procédure à suivre et moi, comme une idiote, je m'inquiétais pour les gants. Qu'allais-je en faire ? Peut-être pourrais-je les envoyer à son frère ? Et j'imaginais ses tout petits gants de daim dans l'immense soute à bagage d'un avion, lui-même minuscule dans le ciel scandinave. Puis je les voyais au bout des bras de Terje, battant l'air de Bergen, Norvège, au rythme de sa marche dans Nygardsparken. C'est comme ça que les choses me sont arrivées, que la mort de mon amour m'a atteinte, en commençant par les gants. Et le cercle s'est agrandi peu à peu. Les gants ont amené avec eux ses pantalons pliés sur leurs cintres, puis les chemises bien repassées. Et le cercle s'est agrandi encore, jusqu'à la commode, les sous-vêtements, les chandails, les t-shirts, toute sa garde-robe y est passée. Puis la commode a attiré le lit. Il n'y aurait plus ses mains dans les gants, plus ses larges épaules dans ses chemises, plus sa main sur ma hanche dans mon sommeil, plus son sexe endormi ou réveillé contre mes fesses, il n'y aurait plus son souffle chaud et régulier sur ma nuque et du lit tout le reste de la chambre a été aspiré plus son corps qui passe qui entre qui sort de la chambre qui se penche sur moi qui me tourne le dos qui se relève après l'amour milliards de photos stockées de milliards de Jon partout absolument partout et de là l'escalier et aussitôt la salle à manger le salon la cuisine lui dans la lumière du matin lui à table et vers la porte arrière et sur la terrasse et dans le jardin torse nu et très vite la rue le quadrilatère l'arrondissement la ville entière restaurants boutiques cinémas arbres enseignes réverbères trottoirs puis le reste du monde comme une traînée de napalm Suisse Danemark Norvège Islande Estonie Ukraine Angleterre France Écosse Mali Guinée Tibet Chine.

Je suis sortie de l'hôpital et il n'y avait que son absence partout, dans le creux de toute chose, dans le noyau de chaque atome. L'univers au complet était disloqué, désarticulé et ramolli à cause de ce vide désormais inséré entre chaque particule.

Je me suis retrouvée à la pépinière. En taxi, probablement. Puis dans la voiture d'un homme que je ne connaissais pas, un employé. J'étais effondrée de tristesse parce que je n'arrivais pas à acheter un arbre. Je m'en voulais, je me trouvais faible de ne pas réussir à faire au moins ça. Le choisir, le poser sur un chariot ou tout simplement demander à un commis de l'apporter à la caisse pour moi. Mais juste l'idée d'ouvrir mon sac à main pour prendre mon porte-monnaie me semblait au-dessus de mes forces. Je m'étais rendue jusqu'à la section des feuillus et j'ignorais comment j'allais m'y prendre pour retourner au stationnement. Je voyais toute cette distance s'étendre devant moi. Et cet homme est venu tout simplifier. Il a pris mon bras et m'a entraînée vers un banc et c'est vrai qu'une fois que j'ai été assise, les choses se sont simplifiées davantage. J'étais mieux près de lui. Puis il m'a incitée à me lever pour m'aider à me rasseoir un peu plus loin, dans sa voiture. Mon adresse est sortie comme un réflexe. Et j'étais encore mieux dans la voiture. Mieux plus près de lui, seule avec lui. Je ne le regardais pas, je ne lui parlais pas, en fait je ne m'intéressais pas à lui, juste à sa présence. À ses côtés, je me rapprochais peu à peu de l'état que je connaissais encore quelques heures plus tôt. La femme de Jon. Si je ne regardais pas le conducteur, si je n'écoutais pas ce qu'il me disait et surtout le timbre de sa voix, je reculais dans le temps, avant le moment fatidique où je m'étais dissoute dans l'air de l'hôpital.

J'ai commencé à espérer davantage.

— Amenez-moi au cinéma, s'il vous plaît.

Dans le noir, la tête occupée ailleurs, je pourrais peut-être arriver à toucher complètement au passé. Nous avons dû courir parce que la séance était déjà commencée et ça ressemblait tellement à la vraie vie ! L'homme courait derrière moi, c'était encore mieux comme ça, je n'avais pas sa silhouette pour me ramener à la réalité, seulement la conscience d'une présence qui pouvait être celle que je désirais. L'obscurité de la salle de projection a terminé le travail. J'ai choisi une rangée, un peu excitée, souriante même, j'ai dérangé des gens, je nous ai trouvé deux sièges et j'ai même dit quelque chose à voix haute en m'assoyant. Les images et la musique m'ont aspirée, j'étais de nouveau cette femme qui aime un homme et qui est aimée par lui. J'ai cru que ça pourrait durer toujours.

Le lendemain, en fin de matinée, le même homme est entré dans ma cour avec un jeune amandier décoratif et une pelle. Il tenait l'arbre d'une seule main, les racines contre lui. Pendant une seconde, j'ai imaginé que l'arbre avait germé de son ventre et qu'il s'était développé sur lui comme une superbe excroissance. J'ai noué ma robe de chambre et j'ai ouvert la porte arrière.

— Vous n'auriez pas dû…

Je lui ai offert du café, mais il a refusé, il ne voulait pas me déranger. Comme si quelque chose ou quelqu'un pouvait encore me déranger. J'ai mis de l'eau à bouillir et j'ai été m'habiller. C'était la première fois en dix-sept ans que je m'habillais pour rien, juste pour ne pas offrir ma nudité au monde. J'ai pris ce qui me tombait sous la main en évitant de me regarder dans la glace. J'ai attaché mes cheveux à la va-vite, j'ai ramassé mes verres fumés et je suis sortie avec deux tasses de café. Il m'a remerciée. Je me suis assise dans les marches de la terrasse, un soleil oblique plongeait droit sur moi, et je l'ai regardé planter l'amandier. Nous n'avons pas parlé. J'observais ses mains puissantes œuvrer avec une grande assurance et pourtant avec beaucoup de douceur. Des mains aimantes, me suis-je dit, fermes, fortes, mais aimantes. Des mains de père.

Il est reparti en me souhaitant bonne chance. Sa tasse de café est restée deux jours sur le bord de la terrasse. Je la regardais parfois de la fenêtre de la cuisine.

Jon m'avait légué beaucoup d'argent. J'ai quitté mon emploi et j'ai recommencé à voyager. Réapprendre à déambuler dans le monde. Laisser irradier ma solitude un peu partout, Japon, Thaïlande, Laos, Vietnam, Australie, à marcher huit heures par jour pour dire voici, je suis ici, avec ma solitude nucléaire, avec mon noyau qui n'en finit plus d'éclater et mon souffle létal qui pourrait vous aspirer tous. Peu importe la ville, je pensais à nos corps chauds, nus ou habillés, soudés ou séparés, nos deux corps comme des spécimens de laboratoire dans des liquides de préservation. Organes de chairs violacées flottant paisiblement. Mon corps dépiauté tournant sur lui-même en suivant des yeux son corps dépiauté. Même dans la mort, la mienne je veux dire, celle qui arrivait à chaque seconde depuis son départ, même dans la dissection, même sous le scalpel de ceux qui cherchaient à savoir de quoi notre désir était fait, je gardais les yeux fixés sur lui.

De temps à autre un étranger apparaissait dans mon jardin afin de s'assurer que l'amandier croissait sainement. Il en profitait aussi pour jeter un œil à la pelouse, aux fleurs et aux arbustes. Il leur offrait son amour, gratuitement, circulant entre eux avec aisance, les touchant, leur parlant à voix basse. Qui en profitait le plus, les plantes, lui ou moi ?

S'il me surprenait à la fenêtre, il me faisait un simple signe de la main. Si j'ouvrais la porte pour lui adresser la parole, il me répondait poliment et il en profitait pour m'annoncer qu'il allait falloir fertiliser ceci ou tailler cela sous peu. Avec le temps, j'ai fini par l'accompagner dans sa tournée. Je lui posais des questions sur ce qu'il regardait, ce qu'il cherchait, et c'est avec beaucoup de patience qu'il m'expliquait tout en détail. Si je découvrais une tache suspecte sur une feuille ou un nouvel insecte accroché à une tige, je l'apportais à la pépinière pour écouter son verdict. Il me recommandait le traitement approprié que j'exécutais avec soin. Quelques jours ou quelques semaines plus tard, il apparaissait dans le jardin pour voir si le problème était résolu. Et avec le temps, trois ans en fait, à le suivre et à le questionner, j'ai fini par tout apprendre. Chaque matin je sortais pieds nus dans la rosée et je retrouvais le calme de mon jardin. Je passais plusieurs heures par jour à soigner mes plantes ou tout simplement à y flâner. Ma solitude restait la même, mais elle était enchevêtrée dans la solitude des arbres.

Vue de l'extérieur, la vie d'Édouard n'avait à peu près pas cillé au moment du départ de sa femme. Entre nous, en tout cas, rien n'avait changé. Il passait à la maison de temps à autre ou je le voyais à la pépinière, mais sans plus. Seulement, sa vision de l'aménagement paysager changeait peu à peu. Il me proposait parfois d'ôter une essence trop ornementale afin de la remplacer par une autre plus sauvage ou indigène, pour reprendre le terme qu'il employait. Sa façon de circuler entre les plantes avait changé aussi. Il n'avait plus cette assurance du guérisseur, mais plutôt cette hésitation et cette attention de celui qui cherche. C'est à cette époque que je l'ai surpris étendu par terre sous l'amandier, l'oreille collée au tronc, à regarder le feuillage par en dessous.

Le jour de la mort de mon père, je suis passée à la pépinière acheter un deuxième arbre. Quand j'ai annoncé la nouvelle à Édouard, il m'a serrée contre lui. C'était le premier contact physique que nous avions en six ans. Quelques mois plus tard, un soir de tempête, je lui ai pris le bras à la sortie d'un restaurant. Il n'a pas sourcillé, je crois que les choses s'enchaînaient à un rythme qui lui convenait. Aujourd'hui, après dix ans, nous pouvions nous toucher sans retenue, obéissant tout simplement à la pulsion. Surtout moi, je dirais. En fait, oui, c'était plutôt moi qui mettais une main sur sa cuisse ou qui déposais un baiser sur sa joue. Avec le temps, nous étions devenus, l'un pour l'autre, la seule source de contact et de chaleur.

Édouard avait une façon de se tenir près de moi – me frôlant même parfois –, sans jamais me désirer, qui aurait pu être dérangeante pour une autre femme mais qui moi me convenait parfaitement. Il recherchait ma présence, il voulait mon corps à ses côtés, mais il ne me convoitait pas. C'était réciproque. À quelques reprises, cependant, sans raison apparente, mon esprit avait cavalé plus vite que je ne l'aurais voulu et des images sexuelles m'étaient apparues. Mais toujours brièvement et sans excitation. Une fois, entre autres, par une chaude journée d'été, alors que je m'approchais de lui à la pépinière, à son insu, il avait basculé la tête vers l'arrière en prenant une grande respiration et je l'avais vu, pendant une fraction de seconde, glissé entre mes jambes, les yeux mi-clos, prêt à jouir en moi. Je me demandais s'il lui était déjà arrivé de se masturber en pensant à moi ? À vrai dire, je me demandais même s'il lui arrivait de le faire. Quoi qu'il en soit, cette présence tranquille qu'il m'offrait me satisfaisait pleinement.

Puis il m'a présenté Michel et Claire. Je les ai tout de suite appréciés, principalement à cause de l'amour qu'ils lui portaient. C'est au fil de ces rencontres que ma vision d'Édouard a commencé à changer. Il parlait davantage, j'en apprenais donc sur ses idées, sur son enfance, sur les femmes qu'il avait aimées – dont la mystérieuse Betty. J'étais de son côté, toujours prête à prendre sa part face aux attaques quelquefois un peu balourdes de Michel. Dans ces moments, nous pouvions atteindre lui et moi un degré de connivence vraiment troublant. Nous donnions l'impression de former un couple. Cela réveillait quelque chose en moi, mais ce n'était pas de l'amour.

Un soir qu'Édouard passait me prendre, quand je l'ai vu garer sa voiture dans l'entrée, j'ai eu le réflexe de lisser mon pantalon sur mes fesses. Au moment même où j'exécutais ce geste, je me suis vue de l'extérieur. Ce que j'avais aperçu, en cette fraction de seconde, c'était une femme vieillie qui avait déserté son corps, qui l'avait abandonné. Je pouvais passer des heures à m'occuper de la masse très physique, très palpable d'un arbuste, mais ma propre masse, ma propre consistance, je l'avais négligée. Au fil des ans, j'avais érigé des murs autour de moi et ce geste, lisser mon pantalon sur mes fesses, était le signe tant attendu que je ne voulais pas finir emmurée.

Le jour où j'ai accepté qu'Édouard dorme à la maison, j'avais déjà peur depuis un moment. Je n'étais pas allée le visiter à l'hôpital parce que cette peur se ramifiait et m'atteignait dans des endroits nouveaux. J'étais terrifiée à l'idée de ce qui risquait de se déployer dans ma poitrine au moment où je le verrais. Je me répétais « non, ce n'est pas possible, je ne peux pas m'être laissé prendre ». Je regrettais déjà la quiétude de ma retraite et je songeais à Jon avec une intensité que je n'avais pas connue depuis longtemps. Ce soir-là, le téléphone a sonné. J'ai reconnu sur l'afficheur le numéro d'Édouard et mon cœur s'est emballé. Je n'avais pas l'intention de répondre, mais au troisième coup je me suis demandé ce qui pouvait tant m'arriver. Et je suis tombée sur Michel:

— Qu'est-ce que tu penses de la samba, Simone?

J'ai ouvert les robinets de la baignoire et je me suis assise sur le rebord pour la regarder se remplir. Ce geste quotidien prenait soudainement l'allure d'un rite de passage. Je me suis glissée dans l'eau et j'ai lavé mon corps de femme de cinquante-quatre ans avec soin, comme pour m'en rapprocher. Je me suis séchée lentement en me regardant dans le miroir avec des yeux étrangers. Mes seins s'étaient affaissés au cours de ces dix ans, mais ils pouvaient encore être très excitants. Surtout quand je les coinçais entre mes avant-bras ou quand je les prenais dans mes mains. Mes mamelons étaient jolis, vigoureux, d'une taille que j'aimais bien. J'avais déjà été une excellente amante. Je savais faire des choses. Je savais surtout me laisser envahir par le désir et tout oublier: la timidité, les scrupules, la honte. Avec le bon partenaire, j'étais prête à aller n'importe où, dans les zones claires comme dans les zones ombragées.

J'ai choisi mes vêtements avec attention. En enfilant une vieille culotte – c'est tout ce que j'avais –, je me suis dit qu'il faudrait que je l'enlève discrètement, sans être vue. Dans la voiture, j'ai pris la bouteille de vin qu'Édouard me tendait. Je savais exactement pourquoi il me fallait cette gorgée. J'ai regardé son visage si étrangement serein, les yeux fermés, qu'il abandonnait à la caresse du vent. Son désarroi momentanément apaisé, son corps sauvage dans son bel habit civilisé, sa connexion particulière avec les choses de cette terre, ce qu'il apprenait sur le monde invisible jour après jour, tout ça, il fallait qu'il amène tout ça au creux de mon lit.

À partir de ce moment, chaque geste m'a arraché un effort surhumain. Mais quand Édouard s'est déshabillé devant moi, puis quand son pénis s'est gonflé dans ma bouche, j'ai compris que j'avais oublié Jon depuis longtemps. C'était dans le deuil de moi-même que j'étais claustrée. Je veillais mon propre corps depuis dix ans, j'entretenais ma dépouille en murmurant des messes basses et en rallumant les mêmes lampions jour après jour.

Je me suis assoupie quelques minutes puis je me suis réveillée. Édouard n'était plus là. Je l'ai cherché dans la maison. J'ai regardé par la fenêtre de la cuisine en croyant le trouver dans le jardin. En vain.

J'ai fait encore quelques pas en cherchant à définir ce que j'éprouvais. Sa disparition m'angoissait-elle? J'étais incapable de réfléchir, mon esprit ne répondait pas, comme si soudainement mon corps voulait occuper toute la place. Je sentais encore avec beaucoup de précision le sexe d'Édouard en moi, l'espace qu'il avait dégagé quelques minutes auparavant ne s'était pas complètement refermé. Mes seins était si sensibles que le simple contact de l'air m'excitait. Je me suis assise sur le divan, le cuir froid du meuble contre le cuir chaud de mes cuisses, de mes fesses, de mon dos. Un millier de petites sensations électriques sillonnaient la surface de mon corps, grésillant et crépitant. Je les ai ressenties toutes avec une telle précision que j'en ai éclaté de rire.

J'arrive de loin.

11

J'ai éteint les phares avant d'accéder au stationnement. C'est l'avantage de posséder une vieille voiture – sur les modèles récents, ils s'allument dès qu'on met le contact –, c'est plus pratique quand on s'apprête à entrer quelque part par effraction. J'ai coupé le moteur et je suis descendu. Pas de système d'alarme, juste des barbelés garnissant joliment le haut de la clôture métallique, mais j'avais l'habitude.

Je suis passé de l'autre côté en un rien de temps, j'ai pris l'allée des annuelles jusqu'au hangar du fond et je me suis mis au travail. Soulever un sac d'engrais, le jeter sur mon épaule, franchir une cinquantaine de mètres au trot et le laisser tomber par terre. Vers le dixième ou le onzième voyage, alors que mon cœur commençait à pulser dans mes oreilles, j'ai eu une pensée pour l'infirmière aux électrodes. J'aurais bien voulu qu'elle voie ce que j'arrivais à faire, nuit après jour, sans jamais fermer l'œil, mû seulement par la désespérance.

L'entrepôt était de taille moyenne et, comme les différentes piles de sacs ne s'élevaient pas très haut, le son pouvait y voyager librement. Ma respiration, le bruit de mes pas, le froissement de mes vêtements et les gémissements que m'arrachait l'effort, tout ça se répercutait sur la tôle ondulée et persistait dans l'air. Mon parcours de cinquante mètres ressemblait à une course à travers moi-même. J'étais à la fois à l'extérieur de moi et à l'intérieur. Tissu humain traversant son tissu sonore. Complètement trempé sous mon complet, je n'avais pas l'intention de m'arrêter avant de tomber à genoux. N'importe quoi pour ne pas penser à ce qui venait de se passer.

Je suis en Simone. Je regarde mon sexe aller et venir entre ses cuisses. Je ne peux pas m'enlever de l'esprit qu'elle n'a pas présenté son bassin comme ça depuis dix ans. Je regarde ses seins volumineux qui partent dans tous les sens. Sa bouche entrouverte. Ses yeux mi-clos qui s'ouvrent parfois complètement pour reprendre mon visage entre leurs mains. Son ventre généreux et réconfortant. Je glisse les doigts dans ses cheveux et presse légèrement le côté de sa tête. La vie ne sera pas toujours aussi cruelle, Simone. Il m'arrive aussi de piquer du nez pour aller sucer ses lèvres ou plonger la langue dans l'univers trouble et confus de sa bouche. Tous les muscles de mon corps sont tendus. L'air entre en moi par doses comprimées. De ses mains, elle étend la fine couche de rosée qui se renouvelle sans cesse à la surface de mon dos. Chaque gémissement qui s'élève de sa bouche volette en moi comme un effluve de marché aux épices. Quelque part ou partout à la fois, cela s'entremêle aux images qui pénètrent par mes yeux et aux sensations qui s'infiltrent par ma peau. Un amalgame, un vortex qui prend de la vitesse et se concentre, plus lumineux que liquide.

La tristesse est partout dans la chambre. Je la sens, si palpable, il n'y a qu'à tendre les bras pour la toucher. Elle flotte au-dessus de nous en filaments blanchâtres, comme des spectres emmêlés. Est-ce la tristesse de Simone qui s'échappe enfin ? Ou s'agit-il de la mienne ? Est-ce l'impression, maintenant que cela aussi est accompli, de ne plus avoir rien à espérer ? L'impression que demain sera constitué d'une complète et irréversible absence de désir ? Jolie femme assoupie à côté de moi, avec ton odeur d'amour qui monte en volutes de chacun de tes pores, qu'est-ce que je donnerais pour être capable de rester dans tes bras. Qu'est-ce que je donnerais pour arrêter de croire que je n'ai pas le droit de t'entraîner sur ce terrain.

J'ai entendu un premier aboiement au loin. La voix sourde de Brad voyageait merveilleusement bien dans l'air humide de la nuit. J'imaginais ses grosses babines noires ballottant sous l'action de sa course et des filets de bave glissant hors de sa bouche à l'horizontale. Et Paolo ! Merde, merde, merde, cet idiot était bien capable de me tirer une balle dans la jambe. Les aboiements se sont tus. Je me suis tourné vers l'entrée. Brad allait apparaître d'une seconde à l'autre. Ses pas ont résonné dans la terre alors qu'il contournait le bâtiment. J'ai plaqué un sac devant mon entrejambe parce que je savais que c'est là qu'il attaquerait. Tout ce que j'espérais, c'est qu'il me reconnaisse avant que ses mâchoires maximisent tous les kilos de pression que lui conférait son bagage génétique. Mais comme cet imbécile avait les yeux tapissés de cataractes, il ne fallait pas trop y compter. Il est rentré dans l'entrepôt en soufflant comme un buffle. Heureusement pour moi, il s'est accroché le flanc dans le cadre de la porte – qu'il avait mal jaugée –, ce qui l'a ralenti un peu et m'a donné une chance.

— Brad !

Une lueur de bon sens a traversé ses yeux et sa course s'est mutée en une sorte de louvoiement pitoyable. Tête baissée, échine courbée, se dandinant le cul, il s'est approché de moi. Je me suis accroupi à ses côtés pour le caresser. Paolo est entré peu après. Correction, la pointe d'un revolver est entrée, suivie de peu par Paolo. Il était nu sauf pour un boxer et une paire de bottes de travail. Ce type manquait vraiment de classe. Il a mis plusieurs secondes à comprendre ce qui se passait.

— Mais qu'est-ce que tu fous ici à cette heure?

— Ben comme tu vois, dis-je, je déplace des sacs.

Ça faisait une semaine qu'il laissait des messages à la maison et je ne l'avais pas rappelé. Ce job faisait partie des choses de ma vie qui s'évaporaient tranquillement.

— T'es tombé sur la tête ou quoi? J'aurais pu te plomber le cul!

Brad était retourné à côté de Paolo et il se fourrait le nez dans son entrejambe. Le pauvre avait beau essayer de le tasser, le chien revenait sans cesse à la charge. Depuis qu'il avait été entraîné à s'attaquer aux parties génitales, il entretenait un drôle de rapport avec le sexe des hommes.

— J'ai cherché un gym ouvert, mais à cette heure de la nuit, c'est pas facile.

— Je commence à en avoir ras le cul de tes bêtises, Édouard. Tu vas me lâcher, espèce de désaxé!

Il a poussé Brad du genou assez fort pour que le chien recule de quelques mètres. Avant qu'il revienne à la charge, Paolo a pointé son arme dans sa direction. L'animal s'est immobilisé, mais il semblait prendre tout ça comme un jeu. Je voyais le tout petit bout de queue qui lui restait osciller de droite à gauche. Je crois qu'il cherchait une façon de contourner le revolver. Il devait élaborer un fameux plan dans sa caboche. Je me suis inquiété pour lui, Paolo était probablement capable de perdre patience et de lui faire exploser le crâne.

— Ça fait combien de temps que j'endure tes bêtises, Édouard ?

— Oh arrête, je fais rien de mal, je déplace des sacs.

— Ça fait combien de temps, réponds-moi ?

Ça le branchait, le petit salaud, de tenir une arme. Je crois qu'il regrettait que son père ait choisi l'horticulture plutôt que la maffia.

— Quand je suis entré ici, tu pissais encore assis, Paolo. Ton père passait ses journées à déblatérer sur ton compte, et une fois sur deux j'intercédais en ta faveur. Le reste du temps, malheureusement, j'étais obligé d'admettre qu'il avait raison.

— Laisse mon vieux en dehors de ça. Ton problème, c'est que t'as jamais voulu comprendre que je suis le patron maintenant.

— Tu sais pourquoi ton père est retourné en Italie ? Parce qu'un matin il t'a regardé et il a compris ce que le nouveau continent pouvait générer comme tare.

— Mon vieux a jamais su s'adapter, c'est pour ça qu'il est reparti.

— Ton vieux avait le droit d'être qui il voulait dans n'importe quel pays du monde, petit con. Un jour tu comprendras que les hommes libres ont pas besoin de sacrifier ce qu'ils sont pour soi-disant s'intégrer.

— Bon, merci pour la leçon, maintenant tu vas ramasser tes affaires et foutre le camp définitivement. Je veux plus te voir.

C'était une fichue de belle idée. Seulement, mon cœur battait à cent vingt ou cent trente à la minute et ça entraînait des effets secondaires : mes muscles étaient parfaitement irrigués et j'aurais pu avoir accès à un maximum de puissance en quelques fractions de seconde. Je ne voyais tout simplement pas pourquoi je me serais arrêté là. J'ai demandé à Paolo en quoi il était encore possible de croire. Il est resté interloqué. Je lui aurais mis mon poing dans le visage que ça l'aurait moins ébranlé.

— Hein, Paolo, toi qui as compris le sens de la vie, tu veux me dire à quoi toute cette merde peut bien servir?

— Arrête ou j'appelle la police.

— Pourquoi tu me tirerais pas dessus à la place? Je suis sûr que t'en meurs d'envie.

Il a fait un pas en arrière.

— T'auras juste à raconter que tu m'as surpris en train de voler et que je me suis précipité sur toi. Juste une balle, Paolo. Pour un ami de ton père...

Voilà que c'est moi qui lui faisais peur. Il a pointé le revolver dans ma direction et Brad en a profité pour se ruer sur ses testicules. Paolo a été si surpris que le coup est parti. Pendant une fraction de seconde, j'ai pensé que ça y était. Je crois que j'ai même un peu gonflé la poitrine. La balle a ricoché sur le mur, à ma gauche.

— Ben voilà, ai-je dit, tu commences à t'exprimer.

— Toi, t'es sérieusement malade. Je veux plus jamais te revoir dans ma pépinière.

Depuis que Betty ne vit plus avec moi, son absence si dense s'est répandue mur à mur dans notre appartement. Elle pisse même dehors par le dessous des portes et les interstices des fenêtres gauchies. Où que j'aille, mes pieds restent englués dans son souvenir.

Un matin, en marchant vers la faculté des lettres, je vois trois ouvriers qui s'apprêtent à abattre un vieil érable. L'arbre présente une impressionnante cavité à la base de son tronc. Comme le trou affaiblit sa structure, il constitue un danger pour la sécurité des étudiants. Il n'y a pas d'autre solution, m'explique un des hommes.

Cinq ans plus tard presque jour pour jour, je marche vers le bureau du ministère avec mon attaché-case, mes souliers noirs et mon complet gris. Véronique s'est retournée en soupirant quand je l'ai embrassée. Maxime a deux ans, il a été malade toute la nuit. C'est elle qui en a pris soin, c'était son tour. Elle n'ira pas travailler ce matin. Je passe devant la chambre de Max en faisant le moins de bruit possible. Il dort, allongé sur le dos, épuisé par ses vomissements répétés. J'aime ma vie. J'ai une femme fatiguée qui soupire encore quand je l'embrasse dans son sommeil, j'ai un enfant brûlant de fièvre, je fais de la traduction pour le gouvernement. Mon avenir est creux comme le lit d'une rivière, je n'ai qu'à m'y glisser, liquide, pour en suivre le cours. Quand j'ai quitté l'appartement que j'avais partagé avec Betty, j'ai calfeutré soigneusement toutes les ouvertures afin que plus rien ne s'échappe de cet endroit et ne me retrouve.

Le bruit d'une petite tronçonneuse électrique grésille dans l'air. Au fond d'une cour, à quelques rues de chez moi seulement, j'aperçois un homme qui joue de la scie à chaîne dans la cavité d'un gros arbre. Je m'arrête pour l'observer quelque temps, mais très vite ma montre me chatouille le poignet et je reprends le chemin du ministère.

Trois jours plus tard, même endroit, maintenant ce sont des coups de marteau que j'entends. L'homme, dans son pantalon de travail trop grand, plante des clous dans la cavité de l'arbre. Un pick-up affichant « Bertolini paysagiste » est garé dans l'entrée de la demeure. Les dix mètres d'herbe qui me séparent de l'horticulteur sont gorgés de rosée. Je regarde mes souliers de cuir, collés l'un contre l'autre, bien sagement, bien proprement, sur le trottoir, à deux ou trois centimètres de la frontière gazonnée. Et je fais un premier pas. Puis un second. Et avant que j'aie parcouru la moitié du chemin, le dessus de mes chaussures est complètement recouvert de gouttelettes.

Bertolini m'explique, dans un mélange de français et d'anglais, qu'il est en train de sauver l'arbre. À grand renfort de gestes, il raconte comment il a d'abord, à la tronçonneuse, gratté la pourriture jusqu'au bois sain, comme un dentiste l'aurait fait pour une carie. Ensuite il a stérilisé la plaie à l'aide d'une torche au propane, puis il est revenu aujourd'hui, après avoir attendu trois jours afin que les tissus s'assèchent, garnir l'intérieur de la plaie de clous galvanisés. Je le regarde, je l'écoute, avec mon complet et mon attaché-case, et je prends conscience que, pour n'importe qui du ministère, quand j'entre au travail j'ai l'air d'un fonctionnaire éduqué tandis que pour cet Italien, je pourrais aussi bien être un vendeur de brosses.

Je lève la tête et je suis des yeux les lignes tortueuses que tire le géant vers le ciel. L'Italien découpe un grillage métallique de façon qu'il entre parfaitement dans la cavité. La plaie a l'air d'une pelote d'épingles et le treillis peut tenir fermement à l'intérieur. Il y coulera ensuite du ciment et le façonnera de manière que l'eau ne puisse pas s'accumuler au pourtour. Les clous et le grillage ne sont là que pour renforcer le ciment et tout ça n'a d'autre but que de redonner à l'arbre sa résistance mécanique. La cathédrale des arbres est l'expression qui éclate dans ma tête. Ce maçon italien rénove une cathédrale naturelle. Je rentre au ministère et même le gardien de sécurité ne me reconnaît pas.

Paolo avait vingt-six ans et représentait à peu près tout ce que j'avais peur que mon fils devienne. Je le voyais jour après jour modifier la compagnie que son père avait mise sur pied, pour des motifs de productivité, de bénéfices et de logistique. En fait, les arbres et les fleurs occupaient de moins en moins de place parce qu'ils nécessitaient beaucoup plus de soins que les sacs de terre, les mangeoires à oiseaux et les fontaines décoratives. Paolo saccageait petit à petit une tradition, un amour sincère des végétaux et une envie de communiquer cet amour aux autres.

Sans me poser davantage de questions, sans penser aux conséquences, j'ai cédé à une pulsion qui m'asticotait depuis des années et je lui ai sauté au visage. Nous avons roulé sur le sol, entortillés, et c'était à qui neutraliserait l'autre. Brad, tout excité, venait foutre son museau entre nous en espérant se faire une place dans la petite fête. Frustré, il reculait de quelques pas, poussait quelques jappements bien sentis avant de revenir nous fourrer sa gueule quelque part. Paolo n'avait jamais travaillé dur, au grand désespoir de son père, et ça se voyait aujourd'hui. Malgré ses vingt-six ans, il n'arrivait tout simplement pas à me contenir. J'ai pu lui balancer toutes les baffes que je voulais, exactement quand ça me chantait. J'avais l'impression de réaliser le vieux rêve de son père. Hé! Bertolini, mon vieil ami, regarde, je passe un savon à ton fils. J'aurais dû partir avec toi, maudit déserteur. Nous aurions été si bien dans les oliveraies, tout ce qu'on aurait pu soigner comme arbres, tu te rends compte?

Et paf! une autre baffe à Paolo.

— Celle-là, c'est de la part de ton père!

Bertolini à quatre heures du matin bourré de grappa qui chante comme un âne au milieu de sa pépinière. Et c'est moi que sa femme appelle parce qu'elle sait qu'il n'écoutera personne d'autre. Moi, son fils, comme il dit parfois en posant sa main épaisse à plat sur ma nuque. Et je me ramène en trombe pour mon père Bertolini qui ne parle pas beaucoup mais qui a cette façon de tourner les yeux vers vous qui vaut à elle seule deux mille pères qui racontent des conneries sur le prétendu amour qu'ils vous portent. Qu'est-ce que tu fabriques, Bertolini ? Tu veux encore te faire ramasser par la police ? Viens boire avec moi, Édouard, viens danser avec moi. Tu connais cette danse ? Mais bien sûr que je la connais, Bertolini, tu l'exécutes chaque fois que t'es saoul. Ça fait beaucoup, mais je veux bien la regarder encore, et puis y a personne qui m'attend.

Et paf ! une autre baffe à Paolo.

— Celle-là, c'est pour tout le chagrin que t'as causé à ton père.

Va chercher une autre bouteille de grappa, Édouard, et ramène-moi ma femme. Je veux ma femme à mes côtés. Je n'ai pas passé quarante ans de ma vie avec elle pour la laisser à l'intérieur par un soir comme celui-ci. Ramène-moi ma femme et tapote-lui les fesses en chemin, tu vas l'entendre roucouler. Réchauffe-moi-la, Édouard… Et moi, j'étais déjà loin, déjà rendu à la maison, à frapper à la porte de Maria pour lui dire « belle Maria, charmante Maria, votre mari vous attend dans les fleurs, il voudrait que vous soyez à ses côtés par ces temps difficiles, il vous aime, je sais qu'il est saoul et que c'est souvent quand il est saoul qu'il vous aime mais c'est parce qu'il se rend compte que la vie est courte et belle et que l'ivresse sans Maria n'a aucun sens ». Et Maria se retourne pour aller chercher sa veste et moi, je lui tapote gentiment la croupe en lui disant que je l'attends dehors. Et Maria sort deux minutes plus tard avec une bouteille de grappa, son fabuleux cul qu'elle envoie paître à droite puis à gauche à chaque pas qu'elle fait et un très large sourire.

Et paf! sur la gueule de Paolo – j'étais quasiment en train de l'oublier celui-là.

« Venez, Maria, dis-je en glissant mon bras autour de sa taille, on va rendre Bertolini un peu jaloux, si vous voulez bien. » Et nous avançons vers le père qui nous regarde arriver, planté debout au milieu de l'allée, bras ballants, prêt à tomber à genoux, comme s'il voyait Sophia Loren approcher. Pourquoi le bon Dieu a-t-il été si bon avec moi? Pourquoi le bon Dieu a-t-il accepté de me donner Maria Gubitosi? Je suis si indigne d'elle. Et la belle Maria Gubitosi avec ses fesses célèbres jusqu'au fin fond de l'Italie de répondre simplement: « Bénie soit la grappa qui rend à mon mari toute sa lucidité! »

Et paf! sur le dessus de la tête de Paolo.

—Celle-là, c'est pour ta mère, crétin, pour tous les soucis que tu lui as occasionnés.

Bertolini et Maria dansent un slow pendant que je m'écroule dans les fleurs. Je vois toutes sortes de trucs impossibles dans le ciel. Le visage de Véronique, son maudit visage que je vais mettre des années à oublier – et qui me revient si clairement depuis hier. Et sa tête, tout ce qu'il y avait dans sa foutue tête, tout ce qui s'y passait, toutes ces idées qui éclataient, tous ces raccourcis étonnants qu'elle prenait sur la réalité et que je regardais apparaître avec curiosité et fascination.

Et paf! sur la gueule de Paolo.

—Celle-là, c'est pour mon ex-femme.

—Je la connais même pas!

Et paf! pour lui fermer sa gueule.

—J'ai passé quatorze ans de ma vie avec elle, tu devrais la connaître. Et Simone, ça te dit quelque chose?

— Non.

Et paf! pour Simone.

— Ben voilà, les présentations sont faites. Simone, c'est celle que je viens de pousser dans le vide.

Je me suis levé et j'ai pris le chemin de la porte. J'en avais assez de ce petit jeu. Brad avait l'air déçu, il aboyait en guise de supplication. Je ne me suis pas retourné quand Paolo a dit que si je remettais les pieds ici, il appellerait les flics.

— Je sais, Paolo, je sais.

J'ai franchi la porte et j'ai repris l'allée d'annuelles en sens inverse. C'était peut-être la dix millième fois que je passais par là. En montant dans la voiture, j'ai jeté quelque chose sur le siège du passager. Je crois qu'il s'agissait du revolver de Paolo et des cinq balles qui sommeillaient encore à l'intérieur.

12

Dans le nord de la Chine, sur une petite route de terre, nous sommes un jour tombés sur un cortège funèbre. Nous roulions, Jon et moi, en quatre-quatre. C'est d'abord moi qui ai vu la colonne de marcheurs se profiler au loin. Nous avons suivi la procession pendant presque trois heures. Il s'agissait d'une vieille coutume, à peu près disparue depuis la révolution culturelle; quand quelqu'un mourait loin de chez lui, on organisait un cortège pour ramener la dépouille jusque chez elle. Sur la route, si on rencontrait une rivière, une montagne, un carrefour, on stoppait la marche et les participants poussaient un grand cri afin de prévenir le défunt. Tout ça pour qu'il n'oublie jamais le chemin de sa demeure.

J'étais assise dans le jardin, un verre de jus à la main. Le soleil, penché sur moi, retournait dans sa bouche chaude mon visage. Partout autour, les troncs, les tiges se dressaient, les feuilles déroulaient leurs extrémités et se tendaient, les racines plongeaient plus loin dans la terre en cherchant des traces d'humidité, la sève montait jusqu'aux feuilles et revenait, bouillonnante, élaborée et enrichie, comme mon propre sang dans mes veines. Magnésium contre fer, c'était à peu près la seule chose qui les différenciait. Tout était gorgé de nutriments, de sels, de protéines et d'enzymes. J'étais vivante et toute cette vie affluait maintenant, en morsures ou en chatouillements, dans ma tête, sur mes lèvres et au creux de mon ventre.

Il y a l'amour et il y a l'envers de l'amour. Comme les gants de daim avec leur air absurde sur la console de l'entrée en plein mois de juin; il y a le gant et, quand on le retourne, il y a l'envers du gant. L'amour et l'envers de l'amour sont parfois soudés comme des siamois et s'ils partagent un organe vital, on ne peut les séparer sans risquer leur mort. Parfois, aussi, il n'y a que l'envers de l'amour, c'est-à-dire quelque chose qui lui donne sa forme mais sans en avoir l'éclat ni le fini. Ce n'est pas la part de l'amour qu'on veut exhiber dans les endroits publics en disant « regardez-moi, je viens d'être élue ». Ce n'est pas le côté de l'amour qui pleure dans les aéroports ou sur les quais de gare quand la distance qui sépare de l'être aimé devient tangible, physique et concrète comme des dalles de béton qui tombent une après l'autre dans l'espace vide qui s'allonge. Non plus que l'amour qu'on veut exalter en soufflant dessus à coups de réminiscences et de signes du destin pour s'assurer que l'aspect événementiel soit aussi beau et aussi grand que dans les films. Non, c'est la part intérieure de l'amour, celle qui lui donne sa forme mais qui n'est pas complètement elle. C'est ressentir les bienfaits de l'amour sans être amoureuse. Ou alors c'est ne pouvoir être amoureuse que dans l'absence de l'autre.

Édouard était parti et sa présence traînait encore chez moi. Était-il rentré chez lui ? Était-il allé se réfugier chez Michel, qui savait si bien dans les moments délicats manifester un tel manque de délicatesse que toute chose se retournait sur elle-même pour montrer son autre face ?

Je me suis levée et j'ai fait quelques pas dans le jardin. Il y a l'amour et il y a l'envers de l'amour; il y a le manque et il y a l'envers du manque. Je veux qu'il me reprenne dans ses bras et je ne veux plus jamais le revoir. Je ne veux pas savoir où il est parti, mais je veux sentir qu'il est quelque part dans le monde, que sa présence pulse, qu'elle envoie une onde dans l'espace et qu'à plus ou moins long terme cette petite vague va m'atteindre, et continuer de m'atteindre une fois par seconde pour toujours.

Il y a la mort et il y a l'envers de la mort. Il y a moi, Simone, dans un cercueil porté par un cortège d'amis, d'amoureux et d'amants. Ils marchent en silence vers ma maison. Celle où logent ma mère, mon père et Jon. Simone est morte dans sa vie de morte, elle va maintenant passer de l'autre côté, à l'envers de la mort, et on la raccompagne chez elle afin qu'elle se souvienne du chemin qui mène à la demeure qui l'a abritée durant toutes ces années de morte, maintenant qu'elle est vivante pour l'éternité.

TROISIÈME PARTIE

13

Il est vrai que la façade de ma résidence tranchait dramatiquement avec celles des autres maisons du quartier. Mon fils n'avait pas levé les voiles pour rien. Les plantes herbacées, laissées à elles-mêmes, qui oscillaient maintenant entre deux et trois mètres ; les amélanchiers du Canada hors de contrôle qui frôlaient les six mètres ; les *Sidalcea malviflora* d'où cascadaient les grappes de fleurs mauves ; la haie de chèvrefeuilles de Tartarie s'élançant – ou plutôt explosant – dans toutes les directions ; toutes ces graminées, toutes ces tiges et ces branches ligneuses, secouées par le vent, qui se balançaient nonchalamment ou cognaient obstinément contre le revêtement extérieur de la maison – lui-même recouvert de vigne –, conféraient à l'ensemble un air sauvage, hostile et vierge. La scène du crime, c'est l'expression qui m'est venue à l'esprit quand je me suis engagé dans l'entrée.

J'ai pris le revolver sur le siège du passager. Cinq balles, c'était cinq fois plus que j'en avais besoin.

Je suis allé derrière la maison et j'ai fait quelques pas dans le jardin. J'entendais toutes sortes de bruits, des craquements, des piaillements, des froissements. La vie invisible foisonnait autour de moi. C'était d'ailleurs la seule. Je me suis arrêté et j'ai regardé la maison. Elle ne faisait pas complètement partie de son décor, elle s'érigeait toujours contre l'extérieur. Elle brandissait encore trop haut, et avec une arrogance que je ne pouvais plus blairer, la prétendue suprématie humaine. La vitre brisée de la chambre de Maxime m'a donné une idée. J'ai ouvert la porte-fenêtre.

Maxime, douze ans, en profite pour sortir à la course. Son assiette est encore sur la table. De petites taches de gras commencent à se figer sur les bords. Nous mangeons en silence, Véronique et moi. Pas le silence complet puisqu'il y a le tintement de nos fourchettes et celui de nos couteaux qui atteignent l'assiette après avoir traversé la chair. Il y a nos verres aussi que nous redéposons sur la table. Et il y a le craquement de nos chaises. Et le froissement de nos pantalons quand nous changeons de position. Et le clapotis de la nourriture dans nos bouches même si nous faisons tout pour l'assourdir. Enfin il y a les bruits de notre déglutition.

Et, dans un autre ordre d'idées, il y a nos têtes qui se tournent parfois vers la porte en pensant à Maxime, en regrettant qu'il nous ait laissés seuls. Il y a nos esprits qui cherchent mollement une idée, une piste, un sujet de conversation qui serait resté introuvable durant toutes ces années. Il y a nos yeux qui ne se croisent plus. Et il y a le pain, dans son petit panier à pain, et déjà la surface de la mie commence à se durcir.

J'ai soulevé une à une les portes vitrées afin de les dégager de leur rail, ouvrant sur la cour un espace de deux mètres sur un mètre quatre-vingts. Beaucoup mieux comme ça : le vent, la lumière, les oiseaux et même certains petits animaux pourraient maintenant, à leur guise, aller où bon leur semblerait. Je me suis attaqué à la fenêtre de la cuisine. Déjà, la lumière changeait à l'intérieur – évidemment, en retirant les vitres, j'enlevais aussi la vigne qui y courait.

C'est la première fois que nous recevons dans notre nouvelle maison, Véronique et moi. Je suis fonctionnaire, cultivé, je parle couramment le français, l'anglais, l'espagnol et je bredouille l'allemand. Je suis rassurant dans mon costume gris et séducteur dans mon complet noir. Pour l'occasion, j'ai choisi le premier. La mère de Véronique examine la maison de long en large, chaque pièce, chaque porte, chaque latte du plancher, et elle y va d'un petit commentaire, pas nécessairement désobligeant mais toujours agaçant. Son père s'est installé dans le salon avec un scotch à l'eau et il fait tout ce qui est en son pouvoir pour oublier sa femme. Véronique et moi sommes à la cuisine, nous préparons les entrées. Véronique a le visage fermé, elle regrette de les avoir invités. Ils ont débarqué dans notre première maison comme des barbares et ils ont tout saccagé avec leur amertume et leur désœuvrement. Ils jettent leur triste vie à nos pieds et nous avons beau fouiller, examiner le tout, nous n'arrivons pas à nous choisir un seul objet de valeur.

Véronique nettoie des feuilles de laitue sous l'eau du robinet, les yeux dans un paysage lointain, un endroit où la couche d'humus a été balayée par le vent et la pluie, et où la stérilité sévit. Je suis hors de moi. Nous avons vingt-trois ans, merde ! Nous sommes si beaux, si extraordinairement beaux, et l'avenir accepte encore de se déployer devant nous à l'infini.

Il y a urgence de rebâtir, et moi, je suis l'homme de

toutes les constructions. Chaque fois que je passe près de Véronique, je glisse une main sur sa hanche ou alors je relève ses cheveux pour embrasser sa nuque. Cette fois, je m'appuie contre elle et je presse mon sexe sur ses fesses. Je sais l'effet que ça lui fait d'ordinaire. Sa tête bascule juste ce qu'il faut pour que j'arrive à sucer ses lèvres puis à ficher ma langue dans sa bouche. Des pans entiers de mur s'élèvent, des lignes parfaites de tuyauterie filent dans les charpentes, l'odeur de sciure et de plâtre est partout. Je referme mes mains sur ses seins pour les presser l'un contre l'autre.

Mais avec sa mère qui circule dans la maison – elle est à l'étage, nous entendons le plancher craquer dans la future chambre du bébé – et qui lance ici et là son commentaire, Véronique n'est pas facile à emporter. Je jette un coup d'œil vers le salon et comme son père se donne entièrement à son verre et à son journal, je glisse une main sous la jupe de Véronique et j'écarte sa petite culotte blanche. Elle proteste un peu, mais comme j'insiste… De l'index et de l'annulaire je presse sur ses lèvres de manière à les écarter et je pose le majeur à plat sur sa chair offerte. Véronique tourne la tête vers le salon, rien, papa lit. Au-dessus de nos têtes, maman lance un commentaire que nous n'arrivons pas à saisir. Un frisson traverse l'échine de Véronique et vient résonner jusque dans ma colonne vertébrale. Son corps répond si bien à mes caresses, je suis si complètement un homme à ses côtés, je bande si fort, si instantanément, comment la vie pourrait-elle être ailleurs? Je glisse mon autre main sous son chandail, je contourne son soutien-gorge et je forme une coupe sous son sein droit. Son mamelon durci entre mon pouce et mon index, je pince et je triture. Elle va perdre la tête. Elle tente de résister, mais je l'immobilise contre l'évier en pressant davantage ma queue contre elle. L'eau coule sur la feuille de laitue qu'elle tient mollement. Sa mère attaque l'escalier et un éclair de panique passe dans nos yeux.

— Les tentures de la chambre sont trop pâles, Véro.

Ma main s'active davantage. L'index, le majeur et l'annulaire joints, je décris de petits cercles en exerçant une bonne pression sur sa chatte dodue et juteuse. Elle regarde vite, vite derrière elle, en direction de l'escalier, la bouche entrouverte et les narines palpitantes.

— Avec des murs aussi pâles, reprend sa mère en poursuivant sa descente, tu aurais dû aller dans le plus foncé.

Tant qu'elle n'aura pas touché le plancher, elle ne pourra pas nous apercevoir. J'avale donc l'oreille de Véronique et je lui susurre « jouis, je veux t'entendre jouir, ici, tout de suite ». Elle tourne les yeux vers moi, souffrante, l'air de demander pourquoi je lui fais une chose pareille. Et comme les pas s'arrêtent aux deux tiers de l'escalier, nous entrevoyons enfin la possibilité d'y arriver.

— Vous devriez installer une rampe de fer forgé. Tu trouves pas, Léon, que ce serait plus prudent pour les enfants ?

— Han, han, fait-il sans lever les yeux de son journal.

Véronique aspire férocement. Elle y est. Ses yeux basculent sous ses paupières, tout son corps se raidit puis il se relâche. À la vue du fabuleux spectacle, une chaleur intense se serre comme un poing dans mon ventre et une longue giclée de sperme vient mouiller mon sous-vêtement. Alors que sa mère approche de la cuisine, je retire ma main de la culotte de Véronique et le parfum de son sexe vient magnifiquement clore l'épisode.

— Depuis quand est-ce qu'on construit des escaliers sans rampe ?

Nous lui faisons dos.

— C'est la nouvelle mode, dis-je pour éviter à Véronique d'avoir à parler.

— Est-ce que je peux vous aider à quelque chose ? Vous avez l'air un peu dépassé, je dois dire.

— Non, non, ça va.

— Bon, comme vous voudrez.

Elle repart vers le salon et je prends conscience que mon autre main est toujours en forme de coupe sous le sein droit de la femme de ma vie.

— Qu'est-ce que tu dirais si on se séparait ?

Véronique baisse à peine son journal. Je tourne les yeux vers elle. Nous nous regardons véritablement pour la première fois depuis plusieurs mois. Un tube relie nos yeux, et, à l'intérieur, nos regards fusent en salves comme des influx nerveux.

— Qu'est-ce que tu racontes, Édouard ?

— Tu trouves pas qu'on est arrivés au bout de quelque chose ?

— Tu dis ça comme ça, comme si de rien n'était, comme si tu ressentais rien…

— Je ressens rien, justement, j'ai dépassé ce stade.

Elle baisse complètement son journal. Pour une raison que j'ignore, le papier, en se froissant, produit un boucan terrible.

— Tu trouves pas que tout ça est devenu un immense mensonge ?

— Pas pour moi. Je t'aime encore, si c'est de ça qu'il s'agit.

— Voilà, le mensonge.

Elle fronce les sourcils.

— T'es déçue de moi. T'es déçue de ce que je suis devenu. T'arrives plus à me comprendre. Et tu sais quoi ? Tu cherches surtout plus à le faire.

— C'est faux, je t'aime, Édouard.

— Non, t'aimes la vie que tu mènes.

— C'est toi qui m'aimes plus.

— C'est vrai aussi.

Les mots, comme une onde, se dispersent également dans l'espace. Vague qui déferle contre le mur, vague qui déferle contre le divan, vague qui va s'écraser dans le tapis du salon et mourir dans ses fibres comme un bimoteur qui glisse sur le sable du désert avant de s'abîmer complètement. Et à force de rebondir ici ou là, de se répercuter sur le bois, le plâtre, la peau, le tissu, une ultime vague finit par se ramasser, par prendre de la puissance, incorporant les différentes ondes qui viennent la croiser, et dans un bruit d'enfer, avec une violence épouvantable, elle va se fracasser dans l'oreille de Véronique.

— Et Maxime ? Tu penses à Maxime ?

— Je fais que ça. J'ai pas envie qu'il ait ça sous les yeux.

Elle va s'agenouiller devant moi, elle va se mettre à pleurer, elle va briser des objets, elle va me menacer, me frapper, elle va être faible, elle va être méprisable, elle va être terrifiante, elle va me tuer, elle va me détruire psychologiquement, elle va baisser mon pantalon et me prendre dans sa bouche, elle va frapper le sol de ses poings, elle va poser une lame contre son poignet et me menacer de passer à l'acte, elle va composer le numéro de son avocat, elle va me demander pardon, me demander de lui donner une autre chance, me supplier d'essayer à nouveau, de recommencer en changeant tout ce qui peut être changé, elle va faire quelque chose, elle va revenir sur ses pas, elle ne peut pas simplement marcher vers l'escalier, poser sa main sur la rampe de fer forgé et laisser glisser hors de sa bouche comme des sous qu'on ramasse au fond d'une poche sans les compter et qu'on laisse tomber mollement dans la coupe d'un mendiant :

— Maxime a dix ans, c'est trop jeune.

J'attends le retour de Véronique. Elle passait une entrevue pour un poste dans une banque. J'ai vingt-sept ans. Elle a vingt-sept ans. J'ai si hâte qu'elle revienne et qu'elle me dise que tout s'est bien déroulé et de la prendre dans mes bras. Ou alors qu'elle me dise que tout a mal été et de la prendre dans mes bras. Si hâte d'entendre ses pas feutrés à l'étage quand elle s'approche de Maxime qui fait sa sieste, ses soupirs d'indignation devant le journal télévisé, si hâte d'apercevoir un cil fraîchement tombé resté accroché sous son œil, de la voir décroiser une jambe et croiser l'autre, de la surprendre en train de replacer son soutien-gorge, de l'embrasser et de remarquer quelques minutes plus tard que je suis reparti avec un soupçon de son parfum, de ne plus trouver le sucrier et de découvrir qu'elle a décidé de le ranger ailleurs.

J'ai fait à manger et j'attends ma femme, complètement absorbé dans cette attente. Il n'y a rien d'autre. Chaque seconde, dans toute sa densité, coule sur la précédente et s'y amalgame comme du métal en fusion qui se fige. Aucune pensée ne va vers quoi que ce soit d'autre. Que des pensées pour elle. Où est-elle ? Autobus ? Métro ? Rictus triomphant ou yeux au sol ? Marche-t-elle ? A-t-elle froid ? Est-ce qu'un homme la regarde ? Pourrait-elle être partie pour toujours ?

Je l'attends comme une supplication et elle va m'apparaître comme une prière exaucée.

Je la croise par hasard au centre-ville. Au doigt, elle porte la bague que je lui ai offerte pour son trente-cinquième anniversaire ; au bras, un homme qu'elle s'est offert elle-même. Je dois admettre qu'ils forment réellement un couple. Il y a le monde et il y a eux, à contresens. Moi, je ne forme plus rien. Même que je déforme pas mal de choses. En fait je mens, elle ne porte pas ma bague. Seul l'homme est réel. La bague, elle me l'a renvoyée par la poste peu après notre rupture. L'objet est arrivé un matin où le bleu du ciel était pétant. Et quand je l'ai levé en l'air, pour le contempler dans la lumière, le petit écrin écarlate s'est découpé sur le bleu du ciel avec beaucoup de tranchant.

Je sors de la douche et je trouve un cheveu lui appartenant. Ça fait deux ans qu'elle n'a pas mis les pieds dans la salle de bain, comment ce poil est-il arrivé jusqu'ici ? Il a voyagé sur mon fils, peut-être, puis de façon mystérieuse, quand j'ai serré Maxime contre moi, à son arrivée, il s'est déposé sur mon chandail ou s'est accroché à ma propre chevelure. Comment un seul cheveu peut-il faire tout ce chemin ? et tout ce tort ?

Elle s'est endormie sur le divan. Sa poitrine se soulève et se baisse doucement au rythme de sa respiration. Sa bouche est entrouverte, ses lèvres chaudes vibrent au passage de l'air. Je reste là à la contempler en essayant, avec le plus grand sérieux du monde, de dénombrer les critères de la perfection.

Je dépose nos sacs de voyage dans le coffre et je la rejoins dans la voiture. Je sais que je l'aime, mais je sais aussi que cet amour, parfois, perd le souffle sur la route qui mène d'elle à moi et qu'il rebrousse chemin.

Elle m'offre ses seins, ses fesses, ses cuisses bien douces et surtout bien ouvertes, sa bouche chaude et patiente, ses dents à quelques reprises et son si joli visage qui me sauve encore chaque fois que je l'aperçois. Mon père est mort aujourd'hui. Près du lit, dans un sac de papier brun, un rasoir et un blaireau.

Véronique est assise sur le lit, les jambes repliées sur le côté et elle pleure. Elle est furieuse contre moi. Je suis debout dans le cadre de la porte, imperméable à son chagrin, à sa douleur, à sa colère, à tout son être. Je la regarde comme s'il s'agissait d'un animal étrange avec ces poils qui poussent sur le dessus de sa tête, avec ces glandes mammaires étrangement proéminentes comparées à celles des autres femelles du règne animal et avec sa bouche agile, capable de former des mots comme des baisers, apte à aimer comme à blesser. Comment a-t-on abouti ici ? Comment a-t-on pu faire une chose pareille ? Elle rangeait du linge fraîchement lavé, moi, aux toilettes, je nettoyais la terre sous mes ongles. Nous nous sommes envoyé quelques remarques sur le fait que je nous mettais toujours en retard quand je travaillais dans ce foutu jardin. Puis elle est passée devant la porte et j'ai remarqué à quel point son expression était dure. J'ai donc eu envie d'adoucir ces traits en lançant une blague, mais ça l'a choquée davantage, et, quand elle est repassée, non seulement son visage était fermé, mais en plus son regard était méprisant. J'ai reçu ce regard comme un coup de poing au ventre, j'en ai perdu le souffle de la même façon. Je ne comprenais pas comment deux êtres – même humains – qui s'aimaient pouvaient en arriver à de tels regards. Je suis parti à sa suite, j'ai attrapé sa main pour la retenir et la forcer à poser les yeux sur moi en espérant qu'elle le ferait de manière à effacer tout ça. Nous sommes restés un moment face à face. Je ne sais pas si nous pensions à la même chose. De mon côté, cette distance, cette trentaine de centimètres qui nous séparait devenait opaque pour la première fois. C'était la première étape. La première fois que ni elle ni moi n'arrivions à franchir cette insignifiante distance pour rester l'un avec l'autre, même quand nous étions l'un contre l'autre. J'ai eu soudainement si honte. Et si peur. Il fallait que je brise tout ça pour moi mais pour elle aussi. Ma main, jusque-là libre contre ma cuisse, a pris son envol. Elle s'est élevée à la verticale et, comme un oiseau qui s'en va percuter une vitre, elle a volé dans l'air entre nous. Elle a traversé ces trente centimètres toutes ailes ouvertes et c'est dans le visage de Véronique qu'elle est allée se fracasser. Et aussitôt, comme si un cri d'alarme avait été lancé, comme quand un danger menace, tous les autres oiseaux ont pris leur envol en piaillant. Et ils ont commencé à battre de l'aile entre nous, avec leur vol imprévisible et fou, et ils nous frappaient tantôt au visage, tantôt sur la tête, tantôt sur les épaules, en lançant des cris gutturaux. Et parfois ils se cognaient entre eux, s'accrochant dans les ailes les uns des autres, se brisant des plumes, désarticulant encore davantage leur vol. Enfin épuisés, blessés et meurtris, ils ont fini par prendre la fuite. Le dernier battement d'ailes s'est répercuté un moment dans la maison puis un silence de catastrophe naturelle s'est abattu sur tout.

Et maintenant Véronique pleure sur le lit, et moi, je la regarde comme s'il s'agissait d'un animal étrange.

En retirant la porte de devant, j'ai trouvé un nouvel avis de la municipalité. On m'accordait quarante-huit heures pour raser la portion du terrain située entre la maison et la rue, sinon c'étaient les employés de la municipalité qui s'en chargeraient et moi qui en payerais les coûts. Ça m'a bien fait rire.

D'un certain point de vue, si on n'embrassait pas toute la cour arrière du regard, on pouvait vraiment avoir l'impression d'être en pleine forêt. Et ma tanière, comme une sorte de ruine ancienne, sans portes et sans fenêtres, comme un temple abandonné, prendrait bientôt sa place dans cet espace. L'extérieur envahirait l'intérieur. Dans la maison, je serais donc désormais aussi dans le jardin. Cette idée me ravissait. Prendre ma vie, lui fourrer la main dans la gueule, aller saisir le bout de sa queue et la retourner sur elle-même.

J'étais si fatigué. Impossible de calculer avec précision depuis combien d'heures je n'avais pas fermé l'œil. La succession des événements devenait de plus en plus floue. La nuit dernière, la précédente, les heures couché sur le dos à fixer le plafond de la chambre d'hôpital, les meubles qui éclataient en touchant le sol sous la fenêtre de mon fils, le souper chez Michel, le ventre blanc de Simone, je marchais en équilibre sur un fil étrange, sur l'arête du réel et du rêve, incapable de dormir, de laisser tomber, d'abandonner. Voilà, je n'arrivais pas à abandonner. Je m'acharnais, je refusais. Tout. La perte de Maxime, la perte de Véronique, la perte de Simone telle que je la connaissais, la perte de l'espoir surtout, et l'apparition, comme un appendice de cette perte, du cynisme et de la désillusion.

14

J'ai déboulé la rue à soixante kilomètres au-dessus de la vitesse permise. Je me suis rangé devant l'édifice en cognant la chaîne du trottoir puis en emboutissant la voiture garée devant moi. Le propriétaire, un jeune exécutif débordant de polices d'assurances et de placements à risque, sortait justement du bureau de Michel. Il m'a regardé l'air de dire « mais qui c'est cet abruti qui n'est pas à genoux, comme nous tous, devant la sainte tôle? ».

Je suis descendu de ma bagnole comme si de rien n'était. L'autre s'avançait lentement en fixant son pare-chocs la bouche en « o ».

— C'est une voiture neuve! s'est-il étranglé.

— Oui, ça se voit tout de suite. C'est l'éclat de la peinture, je dirais.

Je filais déjà en direction de l'édifice quand il a eu l'idée de me barrer la route. Je lui ai souri.

— Il va falloir faire un constat amiable.

— Je crois pas que vous y teniez vraiment. Je file un drôle de coton ces temps-ci et je suis pas ce qu'on pourrait appeler particulièrement « amiable ».

Changeant de registre sans avertissement, il m'a saisi par le col – je l'ai trouvée bien bonne celle-là – afin de me demander, entre quatre yeux, qui allait payer pour cette rayure sur son pare-chocs. J'ai profité de ce moment d'intimité pour lui faire remarquer que la bosse qu'il voyait dans mon pantalon n'était pas le fruit de son charme, mais la forme d'un objet métallique capable de rayer beaucoup plus qu'un pare-chocs.

Soudainement, il est devenu si vulnérable que c'en était presque attendrissant. Il a clopiné jusqu'à sa voiture puis, dans la confusion, il a passé la marche arrière et s'est foutu dans ma bagnole. Un peu plus et ça me rendait ma bonne humeur.

Au troisième étage, j'ai traversé la salle d'attente pour finir planté devant la secrétaire au sourire de grand-mère bienveillante – elle était vraiment contente d'avoir ce boulot et ça lui pissait de partout. Il fallait que je voie Michel, c'était urgent. Elle a posé une main sur son grand livre avec l'intention de me filer un rendez-vous. Ça faisait des dizaines de fois que je venais là à titre d'ami et elle me faisait le coup à chaque occasion. Elle n'avait pas tourné deux pages que je contournais son bureau pour me diriger vers la porte du fond.

— Attendez, vous n'avez pas le droit, il est avec une patiente !

C'est la dernière chose que j'ai entendue avant d'ouvrir la porte et de tomber sur Michel qui échangeait un baiser profond avec une femme que je ne connaissais pas. Cet homme n'aurait pas fait ouvrir plus de bouches s'il avait opté pour la dentisterie. Ils se sont interrompus, un brin confus.

— Et moi, vous m'embrassez pas ?

— Tu pourrais pas frapper comme tout le monde ?

— C'est vrai, excuse-moi, qui sait, j'aurais pu te surprendre en plein examen de la vue. Écoute, je veux pas nuire à tes histoires extraconjugales mais je vais pas très bien. Tu imagines à quel point je vais pas bien si c'est à toi que je suis venu me confier…

Il a regardé son amie, l'air navré, en grommelant un long et rugueux « arghh », puis il m'a présenté comme étant Eddy, l'emmerdeur par excellence. Elle, c'était Juliana. Nous nous sommes serré la pince et à force de l'observer, son visage a fini par me rappeler vaguement quelque chose.

Dans ce type de circonstances, auxquelles Michel m'avait malheureusement habitué, je m'efforçais surtout de ne pas penser à Claire. Voilà, ça me revenait : j'avais vu cette Juliana évoluer, ma foi plutôt gracieusement si mon souvenir était bon, sur la piste de danse lors de la soirée samba. Ils ont baissé les yeux tandis que j'en profitais pour leur exposer une nouvelle théorie : c'est peut-être précisément pour ce genre d'histoires qu'ils ont baptisé ça « danse sociale ».

—Écoute, Eddy, c'est pas ce que tu penses, Juliana connaît très bien Claire aussi.

Oh ! mais c'était encore mieux.

—Ce que j'essaie de te faire comprendre, c'est que Claire, Juliana et moi… Oh et puis pourquoi il faudrait que je te raconte tout ça ?

Cette masse imposante, quand elle se braquait, commandait d'emblée un certain respect. Juliana, tendre, voire à la limite du maternel, lui a caressé le bras du revers de la main. Michel croyait qu'il valait mieux qu'elle revienne un peu plus tard, opinion qu'elle semblait partager. Je me suis tenu tranquille le temps qu'elle ramasse ses affaires. « N'oubliez pas votre prescription », est la seule chose que je ne suis pas arrivé à retenir. Quand elle eut refermé la porte derrière elle, Michel a fait deux fois le tour du bureau en serrant les poings avant de s'approcher de moi et de me planter son index sous le menton. Cette intrusion-là, comme toutes les précédentes d'ailleurs, il ne la trouvait pas comique, c'était son bureau, c'était sa pratique…

— Oui, et on peut voir avec quel sérieux tu mènes ta barque.

Il m'a attrapé par les épaules et m'a coincé contre le mur. C'était peut-être la quatrième ou la cinquième fois en trente ans. Dans une de ces occasions, il n'avait pas su s'arrêter et son poing avait fini sur ma joue. Je m'en souvenais encore certains jours particulièrement humides.

— Tu sais quoi, Michel, si tu pouvais me broyer la gueule, je crois que je t'en serais reconnaissant.

— Ta petite gueule, ton petit nombril… T'es pas tanné de nous faire chier avec ta petite personne ? Tu crois que t'es le seul à peiner pour tirer ton épingle du jeu ? Faudrait que la Terre arrête de tourner le temps que Monsieur retombe sur ses pattes ? Je crois qu'il est temps que je te dise quelque chose que t'aimeras pas.

— Mais rassure-toi, j'aime déjà pas ce que tu dis.

Il a recommencé à tourner en rond en se demandant s'il faisait bien de lâcher le morceau. Michel, malgré son manque de goût total, malgré un sens esthétique à peu près inexistant, était plutôt doué pour le théâtre. Il savait se mettre en scène. Avec un minimum d'artifices, quelques pas dans cette direction, un regard en coin ici ou là, même la conversation la plus banale pouvait tourner en spectacle saisissant.

D'après lui, et pour résumer ce qui avait l'ampleur d'un morceau de bravoure, je n'étais rien sans Véronique. Sans Véronique, je n'existais pas. Depuis six ans je n'avais pas été foutu de réaliser une seule chose potable et je dépérissais de jour en jour.

— T'as regardé ta maison ? et ton jardin ? et la tête que t'as ?

En ce qui concernait mon jardin, nos points de vue divergeaient. Michel avait, à quelques occasions, caractérisé l'ensemble par le mot «déroute». Personnellement, je trouvais que c'était une sacrée réussite, non pas le signe que j'allais mal, mais bien l'indication que je cherchais à aller mieux, que la quête d'une nouvelle voie – ou route – avait été mise en branle.

— T'es aveugle ou t'es un abruti fini !? Véronique a rien à voir là-dedans. Tu remarques pas ce qui se passe autour de toi ? T'as pas la moindre idée de ce qui cloche sur cette terre ?

— Oh s'il te plaît, Édouard, vieillis un peu…

— Qu'est-ce que tu veux dire ? Qu'est-ce que t'entends par là ? Ferme tes yeux, ferme ta gueule, dépense de l'argent et baise des bonnes femmes ? Le terme « humanité » dans le sens d'altruisme et de bienveillance à l'égard des autres, tu trouves pas que c'est charrié qu'on ait tiré ça du mot « humain » ? D'après toi, ça ressemble pas à une entreprise pour se convaincre qu'on est pas complètement petits et mesquins ? Dis-moi, Michel, sincèrement, quand tu regardes le monde en face, tu ressens pas, comme moi, une immense déception ?

— Qu'est-ce que tu peux bien connaître de l'humanité ? Ça fait six ans que t'en es coupé.

Je n'arrivais pas à croire qu'il ne ressentait pas, comme moi, cette tristesse sourde qui s'alimentait à même le plus fabuleux des désappointements, dans la nappe phréatique de la plus grande des déceptions universelles.

— T'as pas un tout petit pincement au cœur en pensant

à tout ce gâchis? lui ai-je lancé.

Il m'a regardé un moment avec de grands yeux brumeux et j'ai senti, ou j'ai voulu sentir, qu'il aurait aimé dire oui mais qu'il n'en avait pas les moyens.

— Toute cette souffrance autour de nous, toutes ces femmes, tous ces hommes, tous ces enfants, toutes ces vies gâchées… Penses-y, Michel, ça en fait des verres de contact jetables, ça!

Il m'a balancé son poing à la figure. J'ai bien tenté d'arrêter ma chute en prenant appui sur le dossier d'une chaise, mais j'ai passé par-dessus les accoudoirs et je me suis retrouvé à terre. Michel me regardait, immobile, et, sincèrement, même si je n'y voyais pas parfaitement clair, je dois avouer qu'il n'avait pas l'air de regretter son geste outre mesure. M'aider à me relever ne semblait pas non plus faire partie de ses préoccupations. J'avais du sang plein la bouche, mais mes dents semblaient avoir tenu le coup. Je me suis redressé lentement et j'ai pris une tasse sur son bureau. Une longue coulée de bave rougeâtre a disparu dans un fond de café. Finalement je me suis tourné vers lui. Je chancelais légèrement et ma diction n'était pas très franche.

— Dois-je en conclure que t'es pas tout à fait d'accord avec ce que j'avance?

Il a balayé l'air de la main comme si ce simple geste pouvait tout effacer. Bref, il a fait ce qu'il savait le mieux faire, éviter le sujet. Non, cette fois tu vas aller au bout de ta pensée, Michel. Cette maudite fois, tu ne vas pas t'arrêter avant d'avoir tout dit.

— Tu te racontes des histoires, Eddy. Ton problème vient pas de là.

J'ai glissé la main dans mon pantalon et j'ai brandi le revolver. Il n'en revenait pas, « mais où t'as déniché ça? T'as un permis au moins ? Qu'est-ce que tu comptes faire exactement ? » Moi, je lui répétais seulement « ta gueule, Michel, assis-toi, Michel, ta gueule et assis-toi, Michel ». En fin de compte, j'ignore pourquoi, mais ma demande a fini par faire son chemin. À court de questions, il a contourné le bureau pour poser son cul sur sa chaise.

— Maintenant, tu vas m'écouter une bonne fois pour toutes. Et je te jure, si je sens que ton attention se relâche le moindrement, je te fais éclater un genou. Je t'aime trop pour te tuer mais un genou, ça, je pourrais.

— Tu vas me donner ce revolver tout de suite, espèce de petit mangeux de merde !

— Ta gueule.

La porte s'est ouverte à ce moment-là. J'ai failli le buter sur le coup tellement ça m'a fait peur. Grand-maman, la tête dans l'ouverture, nous a demandé si tout allait bien. C'est après coup seulement qu'elle a aperçu le revolver. Je n'ai pas eu le choix, j'ai dû la forcer à venir s'asseoir avec nous. Michel a disposé une chaise près de la sienne en lui expliquant qu'elle n'avait rien à craindre, que j'étais un ami. Ça l'a sensiblement rassurée. N'empêche, maintenant j'avais perdu le fil de ma pensée. Tout ce qui me revenait, qui tournait et retournait dans ma tête, c'est que, depuis le départ de Véronique, je n'étais rien. J'étais si fatigué. Si exténué. Michel et Grand-maman se sont regardés, je crois que la situation les dépassait légèrement. Je voulais du silence et de l'immobilité, que plus rien ne change, que plus rien n'évolue, que plus rien ne se transforme.

— Qu'est-ce que tu voulais me dire, Eddy ?

— Je sais plus.

— Tu voulais pas m'expliquer pourquoi tu trouves le monde insoutenable, pourquoi la vie est si dure pour toi ?

— J'ai plus envie, désolé, je suis plus dans l'ambiance.

— Est-ce que je peux te dire une chose ?

— Oui, mais pense à tes genoux…

À l'entendre, j'avais toujours été comme ça, la souffrance et l'injustice m'avaient toujours touché particulièrement. Évidemment, ma mère, mon père et l'épisode Betty ne m'avaient pas beaucoup aidé. Seule Véronique – et il ignorait pourquoi – arrivait à me tenir en un seul morceau. Il consentait à admettre qu'elle n'était pas la cause de mon désarroi, mais tenait tout de même à préciser que, du temps où j'étais avec elle, j'avais l'air plus heureux. Du coup, ma fatigue et mon découragement se sont décuplés.

Grand-maman n'y comprenait rien. Michel s'est tourné vers elle afin de lui expliquer que Véronique était mon ex-femme, que nous nous étions séparés six ans auparavant et qu'il y avait de fortes chances pour qu'elle soit encore amoureuse de moi.

— Pauvre garçon…

Puis il a pris la peine de raconter que mon fils, qui vivait jusque-là une semaine sur deux avec moi, venait de déménager définitivement chez sa mère, ladite Véronique.

— Honnn, a-t-elle fait.

— Et j'ai perdu mon emploi, ai-je ajouté.

— T'as perdu ton job ?!

— Oui, je te raconterai, j'ai fait une connerie. Ah oui, et j'ai baisé avec Simone.

Il a simplement haussé les épaules. Celle-là, il l'avait vue venir depuis un bon moment. Grand-maman s'est tournée vers lui, l'œil interrogateur. Michel y a donc été de son explication : Simone, c'est sa grande amie, elle est veuve et elle a treize ans de plus que lui. Grand-maman a pincé les lèvres, les choses se compliquaient drôlement. Elle s'est penchée pour lui demander quelque chose à l'oreille. Michel l'a regardée en hochant la tête négativement. Je commençais à les trouver franchement impolis.

— Quoi ? Qu'est-ce que vous manigancez ?

— Rien, rien, t'énerve pas.

— Je veux savoir ce qu'elle t'a demandé.

— Elle voulait savoir si c'était une prise d'otages.

— Pourquoi tu lui as dit non ? Tu trouves pas que ça ressemble à une prise d'otages ?

Elle s'est de nouveau penchée sur Michel pour chuchoter quelque chose.

— Quoi, qu'est-ce qu'elle dit cette fois ?

— Elle trouve que tu as l'air fatigué.

— Je veux plus vous voir chuchoter comme ça.

Elle a cru nécessaire de préciser que j'avais l'air d'un type en dépression. Évidemment, Michel en a profité pour ajouter que ça faisait des mois qu'il me le disait.

— Il devrait pourtant savoir de quoi il s'agit, lui a-t-il dit, il a connu ça de près.

— Oh ! ce que vous m'agacez tous les deux.

— Si tout va pour le mieux dans le meilleur des mondes, explique-moi exactement ce qui est en train de t'arriver en une ou deux phrases courtes.

J'ai levé la tête et j'ai regardé mon ami dans les yeux. La question valait la peine qu'on s'y attarde. C'est vrai, au fond, qu'est-ce qui m'arrivait vraiment ? J'avais saccagé ma vie jusque dans chaque recoin, j'étais assis dans le bureau d'un oculiste, un revolver à la main, une poignée de cadavres – au figuré bien sûr – gisant autour de moi, et j'évoquais, pour expliquer ma conduite, et tout à fait sérieusement en plus, l'état du monde. Ça ne tenait pas.

Nous avons eu un silence formidable. Je crois que chacun

en a profité pour tourner son regard vers l'intérieur. Dans ce calme, cette idée que je ressassais depuis un moment m'est revenue.

— Y a rien qui dure et je peux plus supporter cette idée. C'est trop. Y a que dans la solitude que j'arrive à respirer. Mais je crois que je suis en train de m'y enfermer.

— Si tu faisais un peu de sport aussi. Si tu te développais un réseau d'amis.

— Oh ta gueule, Michel.

J'ai repris mon idée afin de la fouiller davantage. La seule façon d'apaiser cet insoutenable sentiment d'isolement, c'était précisément d'oublier qu'il y avait un monde autour de moi. De l'éloigner, ce qui était déjà fait, puis de l'oublier.

— Je crois bien que si je franchis cette dernière étape, si je me rends jusque-là, je pourrai plus revenir en arrière. Il faut que je m'accroche à quelque chose ou à quelqu'un, sinon je vais finir claustré dans mon jardin.

Dans l'ensemble, je trouvais que c'était pas mal comme résumé. Michel et grand-maman ont réfléchi longuement, puis Michel a pris une grande respiration.

— Bon, admettons que tu sois pas en dépression, tu crois pas, tout de même, qu'une thérapie te serait plus utile qu'une vasectomie ?

— Ce que tu peux être profond des fois, Michel. Explique-moi pourquoi je m'évertue à te raconter tout ça ? Autant aller me balader au zoo et me confier à un babouin. T'as pas quelque chose à boire ?

Bien sûr qu'il avait quelque chose à boire, c'est ce qu'il savait faire de mieux. Il a sorti un scotch de sa cachette et il m'a passé la bouteille en me demandant pour quelle raison j'étais venu le voir en premier lieu. Évidemment, je commençais à avoir honte de le lui dire. Je me suis envoyé une première gorgée.

— Tu veux de l'argent, Eddy? As-tu besoin d'argent?

— Tout se résume pas à une question de fric, tu sais.

— Alors, dans ce cas, qu'est-ce que tu voulais me dire?

J'ai pris mon courage à deux mains.

— Je voulais que tu me convainques de pas retourner voir Véronique.

15

J'aime bien répéter que je ne sais pas pourquoi je l'aime, mais c'est faux. Et ça, depuis le tout premier jour, quand il s'est amené dans la cour d'école avec son pantalon trop grand qu'il remontait sporadiquement – son père n'était pas foutu de lui acheter une ceinture –, ses cheveux qui lui tombaient sur les yeux, ses bottes de pluie alors que le ciel s'étirait, parfaitement bleu, et sa façon de regarder par en dessous comme si le monde représentait déjà une menace. C'était au retour du congé de Pâques, à la récréation du matin. Il a laissé tomber son sac par terre et il est resté planté là. Les enfants passaient à côté de lui en se demandant ce qu'il fabriquait, et Eddy, mon futur ami Eddy, attendait. Il ne cherchait pas à créer quelque effet que ce soit. Il lui suffisait d'être Eddy, onze ans, cheveux et pantalon trop longs, négligé des pieds à la tête, qui attendait que la cloche sonne pour entrer dans sa nouvelle école. Les filles l'observaient en passant de petits commentaires. Elles se moquaient de son allure, mais elles lui trouvaient déjà quelque chose. Il était d'un autre monde, ça crevait les yeux. Pour la même raison, les garçons lui jetaient des regards en coin. Je savais ce qui l'attendait. Laurent prendrait certainement les choses en main d'ici peu.

Je voyais tout ça de la fenêtre de ma classe, au troisième étage. Sous le décret de madame Drapeau, mon institutrice, alors que les autres allaient s'ébattre dans la cour, j'avais dû garder ma place et réfléchir : est-il poli de regarder la poitrine de son professeur quand elle nous adresse la parole ? Je n'avais rien répondu, mais je croyais qu'elle aurait pu les faire un peu plus discrets, ses gros seins.

Eddy était planté debout au milieu de la cour et déjà le monde tournait autour de lui. C'était comme une danse, les garçons, les filles, sans même s'en rendre compte, en avaient fait leur centre d'attraction. Le mouvement était subtil, mais vue d'où je me trouvais, c'est comme si toute la cour d'école s'était mise à valser au ralenti autour de lui. Au loin, il y avait les montagnes, le vent nous ramenait de là des quantités d'air frais. Je ne la voyais pas, mais je savais que la rivière coulait à leur pied. J'attendais chaque jour la fin des classes comme on attend la vingt-cinquième année d'une sentence et chaque jour j'allais traîner sur sa berge, chercher des poissons morts, lancer des cailloux et, avec un peu de chance, mettre la main sur les cigarettes et les revues pornos qu'un adolescent aurait cachées là. Juste prendre mon souffle avant de rentrer à la maison.

Mes trois frères, mes parents et moi vivions sur une ferme à la sortie du village. Mon quatrième frère s'était pendu dans la grange l'automne précédent. C'est mon père qui l'avait trouvé. C'est lui qui l'avait décroché. Trente minutes plus tard, il le tenait encore dans ses bras. Si ma mère avait été présente, il l'aurait sûrement déposé, mais elle était sortie. Il l'a emporté dans la maison pour téléphoner à la police. Il l'a tenu tout le temps que les autorités ont mis pour arriver. Il lui tapotait le dos, les yeux accrochés le plus haut possible pour ne pas croiser nos regards. Et quand il a entendu les voitures s'engager dans l'allée de gravier, je me rappelle le crissement caractéristique, il est sorti dans la cour avec mon frère toujours dans ses bras. Les policiers étaient un peu embarrassés. Mon immense père, une montagne, avec son fils de quatorze ans dans les bras, son visage boursouflé et bleui tout contre son visage à lui, si pâle. Mes frères et moi regardions la scène un peu en retrait, heureux que Carl s'en aille enfin et que cette insoutenable attente prenne fin. Mes petits frères accrochés à ma jambe ou blottis contre ma hanche. Les policiers ont mis son corps dans un sac et mon père est resté les bras vides tout le reste de sa vie.

Quand Eddy est arrivé à l'école, quand il est entré dans la cour au retour du congé de Pâques, c'est comme si, de mon troisième étage, je m'étais aperçu pour la première fois. Il correspondait à la perception que j'avais de moi-même depuis la mort de mon frère. Il était l'image extérieure de mon sentiment intérieur : un petit garçon négligé dans des vêtements trop amples. Moi, mon corps déjà large et déjà grand et déjà fort ne laissait rien soupçonner. Un homme de onze ans à qui son père demande de l'aide pour jeter la grange maudite par terre. Celui qui, dans la boue de l'automne, sous une pluie torrentielle, conduit le tracteur qui arrache une à une les poutres qui soutiennent le bâtiment. Celui contre qui sa mère vient parfois se blottir parce que son père ne peut plus rien tenir contre lui. Celui qui rassure ses frères plantés devant la fenêtre quand papa pète les plombs la nuit et qu'il s'en va hurler dans le bois et que maman part à sa suite, pieds nus, dans sa robe de nuit blanche qui lui donne des airs d'apparition. Un homme de onze ans qui ne s'arrête déjà plus. Quand Eddy est arrivé devant moi, j'ai eu envie d'être lui et de pouvoir enfin, pas même crier, à peine chuchoter, que j'étais petit, que je flottais dans un corps trop grand.

Dès le premier jour, Laurent et l'un des siens ont attendu Eddy à la sortie de la cour. Ils n'aimaient pas perdre de temps. Ce n'étaient pas de mauvais garçons, ils participaient simplement à quelque chose de plus grand qu'eux. Ils avaient, tacitement, par nous tous, garçons et filles du village, été investis de cette tâche. Elle avait un sens profondément territorial. N'entrait pas qui voulait chez nous et, surtout, pas de n'importe quelle façon. Eddy serait battu jusqu'à ce qu'il prouve qu'il était des nôtres et qu'il saurait nous être fidèle. Nous le battrions pour faire sa connaissance, mais surtout pour s'assurer qu'il viendrait à nous exactement à notre niveau. Bref, jusqu'à ce qu'il ne nous effraie plus. Et ça arrangeait autant les filles que les garçons, et si les filles semblaient en éprouver une certaine gêne, c'était la crudité du geste qui les choquait et non la motivation.

Le premier jour, je les ai observés de loin. Les luttes ne faisaient jamais de grands blessés, au-delà du corps, c'était surtout l'ego et l'orgueil qui étaient visés. Nous touchions très rarement le visage, nous y allions surtout de coups de poing au ventre et de prises de tête. Il fallait faire tomber l'initié à genoux, il fallait le faire devenir rouge de honte et d'humiliation puis l'abandonner sur place. La technique peut sembler simpliste, mais elle a des correspondances, soit égales en barbarie soit beaucoup plus sophistiquées, partout dans le monde, jusque dans certaines grandes entreprises.

Le rituel voulait aussi que celui qui avait été tacitement désigné comme le chef, en l'occurrence Laurent, invite à tour de rôle de nouveaux garçons à se joindre à lui. Mon tour est venu le vendredi. J'avais passé la semaine à observer Eddy à distance, puisqu'il était hors de question durant cette étape de « nivelage » d'approcher le sujet – il fallait l'isolement total –, et mon admiration et mon attirance pour lui grandissaient sans cesse. Je nourrissais maintenant une réelle affection à son égard et je pressentais un certain désarroi juste à l'idée de ne pas arriver à m'en faire un ami. Avec le recul, je crois que, si j'avais échoué dans cette entreprise, je me serais perdu de vue à jamais.

Eddy, qui avait compris bien avant nous dans quel monde il vivait, se prêtait à l'exercice chaque jour. Je commençais à penser qu'il avait une stratégie, qu'il attendait le bon moment. Au début, comme pour nous donner quelque chose, il s'était plutôt laissé faire. Souvent, les autres avant lui avaient essayé dès le départ d'imprimer leur marque. Résultat, le lendemain, c'étaient des gars plus costauds que nous alignions devant eux. Mais Eddy avait commencé lentement et, peu à peu, il s'était permis de marquer quelques points. Un peu plus à chaque rencontre, si on observait bien. De cette façon, quand il gagnerait, nous ne pourrions que l'accepter parmi nous. Il se serait hissé lentement à notre niveau.

Quand il a vu que c'était moi que Laurent désignait, Eddy n'a pas sourcillé. J'avais déjà battu plusieurs garçons, sans en tirer la moindre satisfaction, dans le seul but de tenir mon rôle du plus grand et du plus fort, seulement, lui, comment aurais-je pu le frapper ?

Eddy a déposé ses choses par terre et il s'est approché en me regardant entre deux mèches de cheveux. Je faisais trente centimètres et certainement vingt kilos de plus que lui, mais il m'a projeté au sol dès le premier assaut. Il était si raide qu'il a pu, sans problème, s'asseoir sur ma poitrine et lever le poing en l'air, prêt à l'abattre sur mon visage. Je me souviens parfaitement de son expression, de sa bouche légèrement tordue, de ses sourcils froncés, de sa respiration haletante. Je me souviens surtout d'avoir pensé, peu après, qu'il aurait pu nous faire cette démonstration dès le premier jour, mais qu'il avait tenu bon, ravalé, et que c'était moi et ma sympathie qui lui avaient permis de parachever son plan.

Il s'est levé, il a ramassé ses affaires et il a quitté les lieux. Personne ne s'est interposé. Les choses suivaient leur cours normal. Les copains en ont profité pour me taquiner un peu, ce n'était pas souvent qu'ils en avaient l'occasion. Je m'en foutais éperdument, je n'ai jamais eu d'orgueil. C'est probablement ma plus grande qualité, peut-être ma seule. C'est certainement cet attribut qui m'a permis, le lundi suivant, de le saluer d'un signe de tête en entrant dans la classe.

Eddy est devenu l'un des nôtres tout en restant à l'extérieur de nous. C'est le seul qui y soit parvenu. Il avait déjà cette force. C'est comme s'il nous accordait une faveur en se comptant parmi nous. En fait, c'est lui qui nous avait acceptés. Nous étions tous fascinés par son indépendance et sa liberté d'esprit. Ai-je besoin de souligner que les filles ont vite commencé à bourdonner autour de lui ? Certaines d'entre elles étaient convoitées depuis des années, mais c'est Eddy qui, en premier, a eu le droit de les embrasser et de toucher leur petite poitrine. Alors que nous étions réduits, presque tous autant que nous étions, à zieuter les seins de madame Drapeau. Pour certains, Eddy est donc devenu une sorte de héros tandis que d'autres le haïssaient. Une chose était sûre, tant qu'il aurait la faveur des filles, personne ne s'attaquerait à lui. Voilà comment elles régnaient, sans le savoir, sur la cour d'école.

Et puis Betty s'est détachée du peloton et le jeu a cessé. Nous avons été plusieurs à le ressentir comme ça, comme la fin d'un jeu. Personne ne se moquait d'eux, personne ne leur faisait les taquineries d'usage, nous les regardions avec l'œil inquiet ; impossible pour nous de comprendre ce qui se passait là. Les récréations se succédaient et les inséparables restaient assis par terre, appuyés contre la clôture, à ne pas se toucher, à ne pas se regarder, à parler seulement, en triturant un bout de bois trouvé sur place. Tout en jouant au ballon, tout en crânant entre copains, nous leur lancions des regards discrets, à la va-vite, complètement mystifiés. Cette attitude était si mystérieuse pour nous. De quoi pouvaient-ils parler durant toutes ces minutes ? Qu'est-ce qu'ils avaient tant à se dire ? Ce mystère nous atteignait dans un endroit très vulnérable. Un tabou, pourrais-je dire, puisque même entre nous, nous n'en parlions jamais. Nous aurions vu un couple d'amoureux faire sauvagement l'amour que nous aurions été moins impressionnés.

Betty était mignonne, certes, mais sans plus. Elle n'était pas très féminine non plus, elle portait les mêmes jeans que les garçons et les mêmes bottes de travail. Mais tout le monde sentait qu'elle avait quelque chose de spécial, une sorte de gravité. J'étais tellement fasciné par ces deux-là que je les suivais partout. À l'heure du dîner, je m'installais près d'eux à la cafétéria ou je les entraînais jusqu'à la rivière. Là, j'arrivais à me donner un peu d'importance en leur montrant mes coins préférés. Je crois qu'inconsciemment je cherchais à percer leur mystère. Ou alors je me projetais en Eddy et c'est moi qui, par procuration, vivais cette histoire peu banale.

Quand les vacances d'été sont arrivées, ils se sont perdus de vue. Betty habitait trop loin du village pour qu'ils puissent continuer de se fréquenter. En septembre, elle n'est pas revenue. Eddy – et nous tous avec lui – la cherchait des yeux chaque matin en entrant dans la cour. J'ai fini par m'informer à la directrice pour apprendre qu'elle avait déménagé. Je n'ai jamais su ce qu'Eddy en avait pensé ou comment il avait vécu la chose. Il est seulement retourné à l'état qu'on lui connaissait avant Betty. Seul, même quand il nous faisait don de sa présence, même quand il prenait la main d'une nouvelle fille.

Il est venu chez moi cet automne-là. Depuis un moment je n'invitais plus personne à la maison. Même si mes parents se remettaient lentement de la mort de mon frère, nous n'étions jamais à l'abri d'un effondrement passager. Donc Eddy est venu chez moi et mes parents ont tout de suite, eux aussi, reconnu quelque chose en lui.

Tout le monde aimait Eddy, peut-être parce que sa vulnérabilité et sa puissance s'inscrivaient de manière égale sur son visage. Il était pareil à nous, et, en même temps, nous avions l'impression que près de lui nous pouvions nous dépasser. Mes petits frères tournaient autour comme des mouches. Ma mère s'empressait de nous préparer des collations riches et sucrées et mon père saisissait chacune des occasions qu'il avait de le toucher ; tape sur l'épaule, main sur la nuque, ébouriffage de chevelure. C'était la fête quand Eddy venait et le monde entier nous paraissait moins sombre.

Quand je suis allé chez lui, j'ai compris pourquoi il aimait bien, lui aussi, passer du temps chez moi. La maison que son père louait était coquette et bien entretenue. Son paternel partait tôt le matin et rentrait tard le soir ou ne rentrait pas du tout. C'est Eddy qui s'occupait de tout et les lieux ne s'animaient jamais. Nous restions rarement à l'intérieur sauf en cas de grand froid ou de pluie torrentielle. Instinctivement, sans se concerter, nous nous retrouvions dehors.

Ils étaient arrivés au village après que sa mère fut partie avec un autre homme. Selon Eddy, ça arrangeait son père. Ou, du moins, ça ne le dérangeait pas. Ce qui faisait moins l'affaire du paternel, par contre, c'est qu'elle soit partie sans amener l'enfant. La raison était fort simple, il était incapable d'établir un rapport avec qui que ce soit et le fait d'avoir Eddy sous les yeux le lui rappelait sans cesse. Je crois qu'il aurait bien voulu, mais que c'était au-dessus de ses moyens. Quant à mon ami, ni durant sa vie d'enfant ni durant sa vie d'adulte, je n'ai su ce qu'il pensait du départ de sa mère.

L'année suivante, pour se simplifier la tâche, son père a décidé de l'inscrire comme pensionnaire dans un collège privé. Je ne voyais pas comment je réussirais à passer cinq années loin de lui. Dans leur immense bonté, mes parents ont fini par accepter de se serrer davantage la ceinture et de se passer de mes bras sur la ferme. Et nous sommes partis, Eddy et moi, impossible duo, et nous avons coulé nos plus belles années. Ça manquait seulement de filles. Dieu ! que ça manquait de filles.

Nous retournions chez nous pour les week-ends et les congés. Très souvent Eddy venait directement à la maison. Mes parents et mes frères – mes pauvres petits frères –, étaient toujours ravis de l'accueillir. Même son père semblait soulagé de savoir son fils dans un environnement chaleureux. C'est de cette manière, lentement, sans le savoir, qu'il a guéri mes parents de leur chagrin. Jusqu'à leur mort, ils l'ont considéré comme une bénédiction. Sans être leur fils disparu, il leur avait été prêté, il avait été leur fils substitut.

Cinq années. Et quand nous sommes sortis de là, presque des hommes, le village était devenu trop petit pour nous. L'hiver précédent, la gare avait fermé ses portes et le vingt-quatre juin, en rentrant, nous avons assisté à l'ouverture d'un nouveau casse-croûte. C'était notre dernier été ici, nous partions étudier dans la métropole à la rentrée. Ceux qui nous aimaient profitaient à plein de notre présence. Puis Betty est réapparue. J'étais avec Eddy quand il l'a aperçue. Assise à la terrasse de La Vieille gare, elle discutait en compagnie de deux amies retrouvées. Quand elle a vu Eddy, son rire s'est figé dans le soleil, et tout ce qu'il y avait de nouveau en elle, tout ce qui n'existait pas encore six années plus tôt, s'est mis à palpiter et à frémir. Ce qu'elle engendrait déjà comme trouble à l'époque s'était démultiplié. J'ai ressenti à ce moment-là quelque chose que je n'ai compris que plus tard : ils allaient connaître un destin extraordinaire.

Des heures et des heures à parler, ils ont repris leur manège. Si le village était devenu trop petit pour Eddy, je crois bien que le monde entier l'était déjà pour Betty. Leur virginité a disparu quelque part au bord de la rivière un soir de juillet. Eddy est revenu de là avec un sourire trop large et un dard de maringouin dans la fesse. La mienne s'est imposée encore quelques semaines. Puis un vendredi soir, dans le village voisin où un certain barman acceptait de me vendre de l'alcool même si je n'avais pas l'âge, j'ai rencontré une femme plus vieille qui m'a ramené chez elle. Et j'ai fait l'amour pour la première fois. C'est là, les mains pleines de hanches, de cuisses et de fesses, la bouche pleine de lèvres et de seins, que j'ai décidé de ne plus jamais m'arrêter. Le lendemain, j'ai tout raconté à Eddy et à Betty. Je n'ai même pas caché qu'il s'agissait de madame Drapeau, c'est pour dire à quel point je n'ai pas d'orgueil. Mais elle était bien, madame Drapeau, elle nous a aidés à trouver un appartement en ville, Eddy, Betty et moi, et elle nous a amenés au bord de la mer, en échange de quoi nous devions seulement ne pas parler de nos années d'école primaire. Ce qui, de toute façon, ne nous tentait plus beaucoup. Peut-être le plus bel été de ma vie.

Quand Betty a annoncé à ses parents qu'elle partait pour la ville, sa mère a piqué une telle crise que son père a dû la battre. Dans la foulée, il en a profité pour frapper Betty aussi. Nous avons débarqué dès que nous l'avons su – je me souviens de nos pas décidés de garçons de seize ans sur le gravier du stationnement – et Eddy a juré au vieux que, si celui-ci touchait encore à un cheveu de Betty, il allait le mettre en miettes. Moi, j'étais planté comme une allée de chênes dans l'embrasure de la porte, il n'y avait pas d'issue.

La ville enfin. Les filles à profusion. Les études comme une sorte de prétexte. La ville la nuit, la ville aux aurores. Deux jobs à temps partiel pour avoir les moyens d'en profiter. Et un petit saut à la campagne pour dire bonjour à mes parents et à mes frères et surtout bonsoir à Suzanne. Elle savait si bien me tenir contre elle, forcer ma tête d'enfant sur son épaule comme si elle avait compris quelque chose que même moi je ne soupçonnais plus. Quelques minutes de repos enfin. Toutes les filles de mon âge agissaient à l'inverse, elles venaient s'appuyer sur moi pour y refaire leurs forces. Alors moi, j'allais refaire les miennes chez Suzanne Drapeau. Et, il faut bien le dire, les filles de mon âge étaient loin de sucer aussi bien.

Un an plus tard, nous avons eu droit à une grande leçon de chimie. Betty a commencé par abandonner ses cours puis elle a laissé tomber ses nouvelles amies et enfin elle a littéralement cessé de mettre le nez dehors. Elle dormait et elle dormait. Et si elle ne dormait pas, elle pleurait. Une tension formidable noyait l'appartement, l'air devenait dense comme de la gélatine. Sans avertissement, Eddy pouvait baisser la musique pour tendre l'oreille en espérant repérer le souffle profond de son sommeil plutôt que le hoquet de ses sanglots. Quand elle se levait, nos yeux tombaient aussitôt au sol pour ne pas l'accabler de nos regards, pour ne pas voir ses traits changés, pour ne pas constater qu'elle avait encore maigri. Eddy se retranchait lui aussi, il redevenait l'être distant et volatil que j'avais connu plus jeune. Il avait l'habitude des départs, il savait s'y préparer.

Suzanne a tout de suite compris que Betty était en dépression et qu'il fallait l'amener au plus vite chez le docteur. Betty, évidemment, ne croyait plus en rien, ni aux mots ni à l'amour. Nous l'avons escortée, Eddy et moi, chacun d'un côté, et elle n'a quasiment pas touché le sol de tout le trajet. Le premier docteur nous a expédiés d'urgence à l'hôpital psychiatrique et la valse des antidépresseurs a commencé. Ils ont mis tellement de temps à trouver celui qui lui convenait qu'un matin, en attendant pour traverser la rue avec Eddy, Betty a perdu patience et elle s'est jetée devant une voiture. Quand l'impact a eu lieu, Eddy tenait encore sa main droite. Elle est sortie de l'hôpital deux mois plus tard en emportant en guise de souvenir un fauteuil roulant et trois petits pots de pilules. Sa mère en a profité pour remettre la main dessus et pour s'assurer qu'elle ne repartirait plus. Ainsi, avec Betty à ses côtés telle une poupée déglinguée, elle pourrait jouer à la mère éternellement.

J'ai cru pendant longtemps qu'il y avait quelque chose de suspect avec notre village, j'ai cru que nous étions tous un peu tarés. Et puis j'ai fini par comprendre que le mal était généralisé. Eddy faisait les aller-retour deux fois par semaine au début, mais tranquillement Betty l'a écarté de sa vie. Ce n'était plus la même Betty, de toute façon. Ses parents avait gagné. Depuis sa naissance ils avaient répété qu'en dehors de cette maison elle ne survivrait pas. Maintenant qu'elle leur avait désobéi pour aller tenter sa chance ailleurs, elle pouvait remercier le ciel de n'avoir perdu que l'usage de ses jambes. En septembre, Eddy est entré à l'université en traduction. C'était une façon comme une autre d'essayer de comprendre ce qui se passait dans ce satané monde. Je n'ai jamais su comment il avait vécu la perte de Betty, il n'a jamais voulu en parler.

Un matin, en entrant à la cafétéria, j'ai aperçu une jeune fille en apparence solide qui, au fond, avait bien besoin d'un homme fort. J'ai donc cessé d'aller voir Suzanne et j'ai pris Claire sur mes épaules. En échange de quoi elle me donnait son amour, son corps, et, surtout, me rendait, pour le meilleur et pour le pire, ma définition de gardien. Un homme grand et gros et fort qui veille sur les autres. Une définition comme une autre, que je n'avais pas réellement choisie, mais que j'ai fini par accepter comme une évidence. Par amour pour moi, Claire s'est résignée à ne pas avoir d'enfant. Le peu que je connaissais de la vie me tuait, je n'allais certainement pas faire un enfant et m'obliger à en apprendre davantage.

Eddy s'est dissous un moment en croisant des filles, pas mal de filles, toujours avec son air détaché, puis il est tombé sur Véronique qui l'a très vite rassemblé. Subtilement, sans trop qu'on sache comment elle s'y était prise, elle l'a ramené en un seul morceau. Elle le rabattait sur lui-même, comme des chiens de berger, aussitôt qu'une partie de lui semblait vouloir s'écarter du troupeau. C'était un mélange de sexe et de confort qui ne ressemblait en rien au rapport qu'il avait eu avec Betty. Il n'y aurait pas de grand drame à leur adresse. Mais je crois qu'Eddy, habitué à voir les femmes de sa vie disparaître, s'est senti en sécurité auprès de Véronique. Aussitôt sortis de l'université, ils ont dégoté chacun un emploi et ils se sont acheté une maison en banlieue. Maxime est né un an plus tard. Eddy est passé de satellite à pierre d'assise. Il s'est coulé au cœur de cette famille, il en est devenu le noyau. Véronique, Dieu sait comment, avait réussi à faire de leur trio un agrégat parfaitement hétérogène.

Au moment de leur séparation, Eddy a recommencé à se disperser. J'ignore ce qui a pu mener leur union à l'échec. Le temps ? Leurs visions du monde qui divergeaient de plus en plus ? Ou simplement parce que, habitué à voir les femmes de sa vie partir, Eddy n'a pas supporté que Véronique ne l'abandonne jamais ?

Le couple. J'ai toujours su qu'Eddy ne tiendrait pas et que moi, j'y arriverais. Ténacité, acharnement, persévérance, je n'ai jamais rien abandonné de toute ma vie. Je peux porter des charges extraordinaires. Je suis un surhomme. Je suis mon père avec un enfant mort de dix mille tonnes dans les bras. Bien sûr j'ai trompé Claire à plusieurs reprises. Les choses sont si faciles à mon bureau et la solitude des femmes est si grande. C'est ma façon de me refaire des forces. On pourrait croire que je leur offre du plaisir, mais c'est faux, je prends, je réquisitionne et je me nourris. Ainsi je peux retourner à la maison et veiller sur Claire comme sur un oiseau. Je l'aime profondément et, sans moi, je ne sais pas ce qu'elle ferait. Tout de même, mes escapades m'ont longtemps fait souffrir. Jusqu'à ce que je comprenne pourquoi j'en avais tant besoin. Refaire le plein pour permettre à Claire, par la suite, d'avoir quelque part où puiser.

Un jour, évidemment, elle s'est doutée de quelque chose. Je n'ai pas pu lui mentir. Elle a pleuré quelque temps puis elle est tombée malade. Quand elle s'est relevée, elle m'a dit qu'elle accepterait de faire l'amour à trois avec une autre femme si ça pouvait me garder près d'elle.

Nous avons mis une annonce et la première expérience s'est avérée catastrophique. Claire s'est levée au milieu de la séance et elle a claqué la porte. J'ai gentiment demandé à notre hôte de s'en aller et j'ai consolé ma femme. Et nous avons enterré le projet. Jusqu'à ce que nous prenions nos leçons de samba et que Juliana se présente à nous. Un soir en roulant vers la maison, Claire, un peu gênée, m'a avoué qu'elle accepterait de coucher avec Juliana et moi, si le cœur m'en disait. Le pouvoir de la danse! ai-je lancé à la blague en posant ma main sur celle de ma femme.

Nous avons invité Juliana à souper à la maison, histoire de faire plus ample connaissance. C'est comme ça que nous avons appris qu'elle était célibataire depuis quelques mois et qu'elle ne tenait pas à s'engager tout de suite dans une relation sérieuse. La semaine suivante, en prenant un verre à la sortie du cours, je lui ai carrément posé « la question » alors que Claire s'était absentée pour aller aux toilettes. J'avais inventé une formule plutôt polie et non dénuée de classe, du moins il me semble.

— Qu'est-ce que tu dirais d'être notre invitée sexuelle un de ces soirs?

Quand Claire est revenue, Juliana riait encore. Elle n'avait jamais imaginé recevoir une telle demande. Claire était gênée, mais Juliana l'a vite rassurée et nous avons pu blaguer sur le sujet. Alors que nous recommandions à boire, Juliana a laissé tomber un simple: « Après tout, qu'est-ce qu'on perd à essayer?! »

C'est ce que nous avons fait la semaine suivante. Claire était une excellente amante et elle me satisfaisait pleinement. Mes escapades n'avaient rien à voir avec la frustration sexuelle. Évidemment, tout le monde a été ravi de voir, surtout Juliana, qu'elle savait mettre sa science à profit pour les deux sexes. Juliana est donc devenue une amante mais surtout une amie. Nous partagions diverses activités, les cours de samba, évidemment, mais aussi des sorties au cinéma et au restaurant. Claire et elle partaient parfois en vacances quand j'avais trop de travail pour les accompagner – la plupart du temps, quoi – et je sais qu'elles faisaient l'amour dans ces circonstances. Nous nous disions toujours tout, c'est Juliana qui avait insisté pour cette transparence.

J'aimais ma femme, j'aimais Juliana, et à trois nous formions un réseau de vases communicants très salutaire. J'avais moins l'impression de me vider en fournissant à Claire l'attention et les soins dont elle avait besoin. Les choses circulaient, l'énergie, l'attention, l'affection, il y avait toujours quelqu'un pour soulager une part plus fatiguée. Quant à moi, j'avais deux femmes à protéger, ce qui me convenait parfaitement. Et elles baisaient toutes les deux comme des déesses, ce qui n'était pas à négliger.

À trois, il nous a suffi de deux heures pour venir à bout de la bouteille de scotch. Laure, ma secrétaire, dormait sur sa chaise. Pauvre Laure, elle travaillait si mal et si peu. Et moi qui la payais le double de ce qu'elle valait. Eddy a rangé son revolver et nous sommes sortis sans bruit pour trouver une place au bar d'en face. Eddy est tombé sur le journal et il en a remis sur le déclin du monde, sur toutes les saloperies que l'homme était capable de faire et moi, comme à mon habitude, j'ai refusé de le suivre sur ce terrain. Il n'avait jamais soupçonné à quel point le protecteur en moi pouvait perdre la tête devant toute cette misère. Si j'avais le malheur d'ouvrir cette porte, si je laissais ne serait-ce qu'un rai de cette lumière noire passer, je ressentais aussitôt le corps de mes petits frères hallucinés pressé contre ma jambe, ma mère secouée de sanglots sur ma poitrine, mon père que je calmais parfois de force en le saisissant à bras-le-corps, la vie sacrifiée de Betty, la vulnérabilité de Claire et tout le reste du monde pouvait s'infiltrer par cette ouverture et faire déferler en moi un tel sentiment d'impuissance que j'avais envie de me frapper la tête sur le mur jusqu'à en perdre conscience. Alors j'ai laissé Eddy discourir et je me suis occupé des verres. Pendant que j'y étais, je lui ai rapporté de la glace pour sa lèvre supérieure.

— Comment tu peux encore frapper les gens à ton âge ?

— Je frappe personne d'autre que toi.

— Et tu t'excuses jamais, ce qui est quand même assez fascinant. Tu te sens pas coupable le moins du monde.

— Il était parfaitement mérité, ce coup. J'ai rarement vu un coup de poing aussi mérité.

Pendant que nous y étions, je lui ai demandé où il avait déniché son arme et ce qu'il avait l'intention d'en faire. Il est demeuré vague sur ce point. J'ai essayé de le convaincre de me la rendre mais sans résultat. J'étais sûr que ça finirait par une connerie. Je le lui ai fait savoir et il ne m'a pas contredit. Est-ce que je devais sauter par-dessus la table et tenter de la lui arracher de force ? Probablement, mais l'alcool brouillait les pistes. J'avais tendance à me dire qu'il n'y avait rien d'alarmant pour l'instant, que j'étais là et que je veillais au grain.

— Alors tu veux que je te décline les raisons de ne pas retourner voir Véronique ?

— Oui, c'est ça, rends-toi utile pour changer.

— À part le fait que tu as gâché sa vie ?

— Oui, à part ce détail.

— Eh bien, j'en vois aucune.

— Tu peux pas faire mieux que ça ?

Si, je pouvais faire mieux, je pouvais carrément aller le reconduire chez elle. Il y avait des années que j'attendais ce moment. De l'autre côté de la rue, Juliana approchait de l'entrée de mon bureau. Je suis sorti à la hâte et j'ai crié son nom. Elle a souri de soulagement en m'apercevant, je crois qu'elle s'était inquiétée. Elle a traversé la rue en courant, son sac à main pressé contre sa hanche. J'ai insisté pour qu'elle vienne prendre un verre avec nous.

— Juliana, je te présente de nouveau Eddy. Eddy, cette fois j'aimerais bien que tu te conduises comme un être humain.

Il a tendu la main mollement, la serviette remplie de glace toujours appuyée sur la gueule.

— Qu'est-ce qui s'est passé, vous vous êtes battus ?

— Seulement Michel, a-t-il dit.

Juliana s'est commandé à boire et j'ai expliqué notre petit arrangement à Eddy. Il n'arrivait pas à y croire. Il ne pouvait pas se résoudre à imaginer Claire, la nutritionniste, celle qui calculait tout ce qu'elle mangeait, entre les jambes de Juliana. Enfin, un truc du genre. Juliana, libre et belle, n'était pas le moins du monde intimidée. Tout ça l'amusait beaucoup. Quand elle s'est levée pour se rendre au distributeur de cigarettes, j'ai demandé à Eddy comment il la trouvait.

— Pourquoi, tu veux m'inclure dans vos activités ? Vous êtes en période de recrutement ?

J'aimais tellement ce type. Je crois que je l'aimais plus que ma propre vie. Ou était-ce justement parce qu'il était ma propre vie, l'autre partie de mon existence que je n'ai jamais pu vivre, une sorte d'autre moi qui aurait été amputé quand mon frère s'est pendu ? En fait, je crois que j'enviais sa liberté. Celle qui lui permettait de s'abandonner à la déroute alors que moi, je devais marcher sur une ligne tracée d'avance si je ne voulais pas perdre la tête. Je l'enviais aussi d'avoir un corps en adéquation avec ce qu'il était intérieurement, tandis que toute ma vie j'avais dû peiner mentalement pour rattraper le mien.

— Pourquoi t'inviterais pas Juliana à sortir?

Il m'a regardé de côté. Nous étions passablement saouls et je crois qu'il commençait à avoir de la difficulté à me suivre.

— Si elle te plaît, pourquoi tu sortirais pas avec elle?

Il a grimacé. Probablement parce qu'il ne voyait pas comment il pourrait, sans rire, coucher avec une fille qui avait baisé avec Claire et moi. C'était le genre de truc qui s'oublie assez facilement, selon moi.

— C'est transitoire, elle et nous, c'est en attendant qu'elle tombe amoureuse. Autant que ce soit toi, ça resterait dans la famille. Elle est super, je te jure, à tous points de vue.

— Mais c'est incroyable, tu dépasses vraiment tout ce que j'aurais pu imaginer.

Il s'est levé brusquement et, dans l'élan, sa chaise a basculé en causant assez de bruit pour surprendre Juliana qui revenait vers nous.

— Je me pointe dans ton bureau, complètement désespéré, un revolver à la main, et tout ce que tu trouves à me suggérer, c'est d'inviter ton amante à sortir? Tu crois vraiment que tout se résume à une histoire de cul?

— Calme-toi, Eddy.

Le propriétaire de l'établissement s'avançait déjà.

— J'ai pas envie de me calmer, Michel. Cette fois, t'as été trop loin.

Il a posé les mains à plat sur la table et il m'a regardé dans le fond des yeux.

— Tu me fais pleurer avec ta petite vie de merde. Est-ce que tu la regardes, ta vie de merde, des fois? Ton travail qui te donne un tel sentiment de t'accomplir que tu dois garder une réserve de scotch pour réussir à finir tes journées? Et ta femme que t'aimes tellement qu'il faut que tu la trompes pour arriver à l'endurer?

Juliana écoutait tout ça de loin. Je percevais sa présence dans le coin de mon œil. Je ne voulais surtout pas qu'elle soit blessée par ce qu'Eddy disait.

— Ta maison parfaite, ta voiture parfaite, ta grande gueule accueillante avec tes claques dans le dos et tes accolades…

Je l'écoutais et je n'avais qu'une envie, lui mettre mon poing au visage. Ce n'était plus très clair si c'était pour préserver Juliana ou pour me préserver, moi, mais j'avais le goût de briser chacun de ses os, de les broyer, de les mettre en miettes. Les mots sifflaient comme des balles et je ne voyais rien d'autre que le visage d'Eddy découpé sur un fond noir. Il fallait que j'arrive à me retenir, parce que cette fois je n'étais pas convaincu de pouvoir m'arrêter après un seul assaut.

— Tu roules à vide, Michel. Tu carbures à l'air. Je peux plus voir ça.

Je me suis plaqué un sourire à toute épreuve. C'est une tactique que j'avais développée très jeune et qui m'avait souvent permis de m'en tirer sans trop de dommages. À l'instar de ces poissons qui deviennent monstrueux pour décourager un attaquant, moi, je devenais odieusement sympathique.

— Non, me sers pas ce maudit sourire, Michel, je pourrai pas le prendre cette fois.

— Eddy, tu vas venir à la maison, tu vas t'allonger sur le divan et tu vas dormir un bon coup. Je vais m'occuper de toi, mon vieux…

J'ai essayé de l'attirer contre moi. Il a voulu se dégager, mais je ne l'ai pas laissé faire.

— Eddy, Eddy, Eddy… Tu veux m'expliquer pourquoi je t'aime à ce point ?

Il a formé son poing – j'ai eu à peine le temps de plisser les yeux et de soulever les épaules – et il me l'a balancé dans l'oreille de toutes ses forces. Une douleur si intense s'est mise à palpiter que j'ai dû tout laisser tomber.

— Oui, je peux t'expliquer pourquoi tu m'aimes à ce point. Parce que je vais pas bien et que t'existes uniquement dans la mesure où quelqu'un quelque part a besoin de toi.

Puis Eddy est sorti. Juliana s'est approchée de moi. Je lui ai souri mollement en ramassant la glace sur la table. Une chaleur vive irradiait sur tout le côté gauche de mon crâne.

— Viens, ai-je dit en me tenant l'oreille, allons-y.

— Il le pensait pas, je suis sûre qu'il le pensait pas, Michel.

— Je crois que oui.

Je n'avais qu'une chose en tête, rentrer à la maison et baiser. C'était le refuge idéal pour moi. Glisser ma queue dans un ventre chaud et donner du plaisir. Dans l'effort, les bras tendus, les mains refermées avec vigueur sur la chair, chaque muscle du corps bien bandé, à entendre ces femmes crier, j'étais ramené à mon essence. Que la pointe de l'iceberg sans le putain d'iceberg en dessous. Et je pouvais leur accorder toute mon attention comme ça des heures de temps, les sucer, les branler et les pénétrer dans l'orifice de leur choix tant qu'elles en voulaient. Et le plus merveilleux, ce qui me faisait le plus de bien, c'est quand j'arrivais à les combler sans prendre de plaisir et surtout sans éjaculer. Là, j'avais l'impression d'exister vraiment, là j'avais l'impression d'être enfin moi-même.

Michel est niché entre leurs poitrines, les gros seins de Juliana et les petits seins fermes de Claire. Ils sont nus tous les trois, Michel a de la peau à ne plus savoir quoi en faire et, au lieu de bander, il pleure.

— Qu'est-ce que j'ai, qu'est-ce qui m'arrive?

Les larmes se bousculent au portail sans qu'il y puisse rien. Il se sent faible et nul. Ça lui a pris dans la voiture, en repensant à ce qu'Édouard avait dit.

— Je vous invite au resto et après on va se farcir tous les bars de toutes les rues qui valent la peine. Je veux pas rentrer ici avant d'avoir perdu conscience.

Elles caressent ses cheveux, elles embrassent ses tempes et elles lui présentent des mouchoirs de papier. Ce resto et ces bars, il n'y croit pas le moins du monde, les mots sont sortis de sa bouche avec l'enthousiasme d'un mourant qui demande la pissoire. Les filles lui répètent que ce n'est pas grave, qu'il a seulement besoin d'un peu de repos. Claire va corriger son alimentation et il va se remettre en un rien de temps. Et s'ils partaient en voyage tous les trois pour quelques semaines? Michel n'aurait qu'à fermer le bureau, ça fait si longtemps qu'il n'a pas pris de vacances…

— C'est moi qui me tape un *burn out*. C'est Eddy qui

déraille et c'est moi qui me tape un *burn out.*

—T'es pas en *burn out*, t'es seulement fatigué. Et t'es saoul.

—Quoi?

—T'es fatigué, Michel!

—Cet idiot m'a bousillé l'oreille, j'entends plus ce que vous dites. Je suis en *burn out* et je suis sourd.

Quoi qu'en disent Claire et Juliana, dans le moins pire des cas Michel est en *burn out* et dans le pire, c'est une dépression qu'il se paie.

—Eddy a raison, ma vie c'est de la merde.

—Dors un peu, ça va te faire du bien.

—Quoi? Qu'est-ce que tu dis?

16

Chaque chose doit avoir sa place. Sa couleur, sa forme et sa place. Chaque chose, de la plus petite à la plus grande, de mes escarpins rangés au fond de la garde-robe en passant par ma voiture garée bien au centre de l'allée de garage, c'est-à-dire à égale distance de chaque extrémité, jusqu'à l'amour dans la vie quotidienne, soit celui de mon fils, soit celui de mon amoureux, soit celui de mes parents. Il faut aussi, bien entendu, garder un certain espace pour la frivolité. C'est tout à fait sain d'avoir des moments où l'esprit peut fuir à sa guise et où le corps exulte. Tout ça, je le trouve en allant au cinéma, au gym, en magasinant et en faisant l'amour. Je vois ma vie comme une commode où chaque composante occupe un tiroir que je peux ouvrir et fermer à ma guise. Tout ça peut avoir l'air contraignant mais, au contraire, j'en ressens une immense liberté et, plus encore, un sentiment de précision très grisant. Rien ne m'empêche, en passant, d'ouvrir plus d'un tiroir à la fois ou d'en ouvrir un au complet alors que deux autres ne le sont qu'à la moitié ou au tiers. Il ne s'agit pas de se cantonner dans la rigidité mais de savoir à chaque instant ce que je suis en train de faire et pourquoi je le fais. Il y a un temps pour chaque chose et chaque chose a sa place. C'est plutôt simple, il me semble.

Je n'ai pas toujours été comme ça, bien entendu. En fait, c'est venu avec la naissance de Maxime. Même que je peux préciser exactement le jour où tout a commencé. Maxime avait huit mois. Je faisais des courses de dernière minute pour le repas du soir, quelques courgettes dans les mains, Maxime dans les bras, j'étais gaie et insouciante. C'était assez nouveau pour moi ; j'avais atteint un certain degré de bien-être en rencontrant Édouard et le reste était venu avec mon fils. Et puis une fois à la caisse de cette épicerie libanaise, alors que j'attendais mon tour, une vieille femme s'est approchée de nous. Elle devait avoir près de quatre-vingts ans. Son fils – du moins j'ai imaginé que c'était son fils – ramassait quelques trucs plus loin, je le voyais jeter un œil vers sa mère de temps à autre. La vieille femme s'est approchée de Maxime pour mieux le regarder. J'avais l'habitude, c'était un beau bébé et toutes les femmes aimaient le voir de près. Du bout de son index, elle a chatouillé gentiment son menton. Puis elle a levé les yeux vers moi et elle a prononcé ces mots avec un fort accent arabe : « Que Dieu te le garde. »

Sur le coup, j'ai hoché la tête en souriant. Et alors que la vieille femme s'éloignait, une sorte de malaise indescriptible a commencé à m'envahir. J'ai payé, j'ai pris mon sac et j'ai franchi la porte. Devant l'épicerie, le malaise, loin de s'atténuer, s'est amplifié jusqu'à ce que quelque chose explose dans ma poitrine et qu'une peur irrationnelle s'empare de moi. La voiture était garée juste devant, je me suis appuyée dessus pour me rendre jusqu'à la portière. Je marchais au bord d'une falaise et le vide s'apprêtait à m'avaler. J'ai attaché Maxime dans son siège et je me suis laissée choir près de lui, sur la banquette. Une si vaste peur, une angoisse si profonde qu'elle en recouvrait toute ma vie. Toute LA vie, même, je crois.

« Que Dieu te le garde. »

Mon cœur cognait dans ma poitrine, je le sentais pilonner ma cage thoracique comme s'il voulait appeler à l'aide. J'ai bien cru que j'allais mourir. Je cherchais, mais pourquoi? Qu'est-ce qui pouvait provoquer une angoisse d'une telle vastitude? Et soudainement la réponse est arrivée, aussi banale qu'évidente, elle est sortie dépourvue de tout artifice, juste le fait simple et clair: rien ni personne ne protège mon enfant, aucune force supérieure ne veille sur lui. Il peut m'être arraché à tout instant. Il peut mourir à tout moment et disparaître à jamais. Tout ce que j'échafaude jour après jour, tout ce que je construis, tout ça peut s'écrouler dans trois semaines, dans deux ans comme dans dix secondes.

Cette nuit-là, je n'ai pas dormi une seconde. J'étais allongée sur le dos à côté d'Édouard et j'écoutais la respiration de Maxime qui me parvenait de sa chambre. Aussitôt que je ne l'entendais plus, je me levais pour aller vérifier si tout allait bien. La nuit suivante, je n'ai pas fermé l'œil non plus. Même chose pour l'autre, à quelques minutes près. Mais il a bien fallu que je me raisonne. Malgré la peur que je ressentais, malgré la fatigue aussi qui me brouillait sérieusement les idées, je savais au plus profond de moi que je ne pouvais pas continuer comme ça. J'ai donc décortiqué bien attentivement cette peur, je l'ai disséquée même, et j'ai mis, pour continuer à faire image, chacun des organes qui la composaient dans un sac individuel. C'était ma façon à moi de prendre un peu le dessus. En isolant chaque détail, en ne les laissant pas s'empiler, grossir et s'ériger en un amas inextricable, j'arrivais un peu mieux à garder une sorte de maîtrise. Et de fil en aiguille, comme le procédé semblait efficace, toute ma vie est passée par ce tamis. Et c'est devenu une seconde nature, tout simplement, que j'entretiens maintenant avec une certaine fierté.

Au début, j'arrivais à endiguer Édouard de la même façon. Par ma seule présence, je créais une aire délimitée de vie, et lui arrivait à fonctionner à l'intérieur de ce cadre. Ce n'était pas de la manipulation ou du pouvoir ou du contrôle, rien à voir. Sa nature plus aérienne avait besoin de moi pour tracer les règles, les frontières, et j'effectuais ce travail pour nous deux avec plaisir. Traducteur, amoureux, père, tous ces rôles, il les jouait à la perfection une fois que j'en avais défini les pourtours. Sa patience et sa délicatesse avec Maxime ; ce qu'il pouvait faire jaillir quand il me regardait ; en public, avec mes amies ou ma famille, la perfection qu'il incarnait ; il était exactement comme je l'aurais commandé par catalogue si la chose avait été possible. Je blague, évidemment.

Bien entendu, avec le temps, les choses se sont un peu relâchées. Rien d'anormal, juste ce que tous les couples traversent. Chaque petite déception, quoique rare, était facile à classer dans le rayon de la fatigue, de l'usure due au temps ou de l'envie passagère de changement. Bref, rien, venant de lui comme de moi, que je ne sois pas arrivée à comprendre et à contenir. Un regard exaspéré capté sur le vif à l'insu de l'autre. Un bras qui cherche à se dégager d'une caresse impromptue. Édouard pouvait même, pendant un instant, laisser courir ses yeux sur une autre femme puisqu'il m'arrivait, à moi, de penser à un autre homme pour m'exciter alors qu'il entreprenait de me caresser. Mais ce ne sont que des exemples.

En fait, les choses avaient commencé à m'échapper bien avant que j'en prenne conscience. Par exemple, quand Édouard m'a annoncé qu'il abandonnait son poste au ministère pour prendre un emploi dans une pépinière, sur le coup, ça m'a fait sourire, mais savoir ce que je sais aujourd'hui, je crois que j'en serais tombée raide morte.

Mon travail à l'époque – j'étais à la tête du secteur marketing – était suffisamment rémunéré pour que je prenne la charge économique de la maison le temps que l'idée de faire pousser des arbres lui passe et qu'il retourne gagner décemment sa vie. Voilà ce qui justifie, j'imagine, le sourire en coin que j'affichais alors qu'il m'annonçait la nouvelle.

Et finalement, si on n'y regarde pas trop attentivement, tout s'est bien passé. Au début, bien sûr, son bonheur m'effrayait un peu. Peut-être parce qu'il le séparait de moi d'une manière que je ne reconnaissais pas. Je partageais maintenant mon amoureux et je ne savais pas contre quoi je me battais. Je blague, il n'était pas question de se battre, seulement d'accepter, de créer de nouveaux tiroirs où ranger ces nouvelles données avant que le désordre emporte tout.

Édouard, la tête dans les livres, lisait tout ce qu'il pouvait trouver sur les arbres et les fleurs. Aussitôt qu'il comprenait quelque chose de signifiant, il fallait qu'il le mette à l'essai dans le jardin. Je trouvais sa passion légèrement hors de contrôle, mais je ne le lui ai jamais dit. À cette époque, du moins. Son enthousiasme était formidable à voir et parfois il m'arrivait de me demander si j'avais, moi, déjà connu un élan pareil. Et comme il partageait avec moi la plupart de ses trouvailles, j'étais plutôt rassurée. Les notions de botanique qu'il essayait de me communiquer m'ennuyaient – pourquoi aurais-je dû comprendre tout ça alors que lui, qui vivait sous le même toit, le comprenait si bien ? – mais ces moments passés près de lui, penchée sur son épaule à regarder ses mains fermes et puissantes parcourir les pages d'une encyclopédie, à sentir son odeur, sa chaleur et son entrain et surtout à voir que c'est avec moi qu'il avait envie de partager ses découvertes, tout ça me ravissait.

Les week-ends, il pouvait facilement passer cinq ou six heures par jour à traiter, arroser, tailler, sarcler et désherber. C'est beaucoup si l'on considère qu'il travaillait déjà trente-cinq heures à la pépinière. Mais, tout compte fait, cette obsession nous a servis puisque, quand son patron, Bertolini, titillé par tout ce qu'Édouard achetait à la pépinière depuis trois ans, s'est décidé à venir faire un tour à la maison, il a versé une larme tellement le spectacle était à couper le souffle. Ils ont passé près de deux heures dans le jardin à discuter de tel croisement, de l'arrangement de tel ou tel massif. À partir de ce moment, Édouard est devenu le premier concepteur de la pépinière et c'est lui qui s'est vu accorder les contrats les plus importants de design et d'aménagement.

Puis, un jour, les choses me sont apparues clairement : j'avais perdu une partie d'Édouard. La scène est pourtant simple, presque anodine même, mais moi je l'ai vécue comme un moment charnière. Alors que nous nous baladions dans notre fabuleux jardin et qu'il m'expliquait le pourquoi du comment, il s'est arrêté devant un arbre et il a pris quelques secondes avant de lancer : « Tu trouves pas que ses branches ont l'air de bras malades tendus vers le ciel ? Tu trouves pas qu'il a l'air d'implorer Dieu ? » Ce sont les mots exacts qu'il a employés. Puis il a continué à discourir sur la solitude des arbres et à quel point ils lui rappelaient l'être humain, sans utiliser ne serait-ce qu'un seul des termes techniques qui m'auraient tellement rassurée, et j'étais si étonnée qu'on aurait dit que les mots sortaient de sa bouche dans une autre langue, en rafale, en bourrasque, et même si j'étais fort capable d'en comprendre le sens, je ne suis pas conne tout de même, c'est leur provenance qui m'effrayait. Un tout nouveau pan d'Édouard s'ouvrait devant mes yeux, et sincèrement j'avais plutôt l'impression qu'il s'ouvrait sous mes pieds. À partir de ce moment-là, j'ai décidé que tout ce côté de lui, son travail à la pépinière, son étrange passion pour la botanique, tout ça, je le placerais à l'extérieur de nous. C'est-à-dire que je ferais ni plus ni moins comme si ça n'existait pas. Je pouvais encore l'écouter et feindre de partager son enthousiasme ou même y aller d'un petit mot d'encouragement, mais d'une certaine manière ça ne me concernait plus.

Je dois dire cependant que je tirais un certain orgueil de ce qu'il avait réussi à faire avec notre jardin. Les voisins, les amis, mes parents, tout le monde sans exception se figeait quelques secondes devant ce spectacle. S'il s'agissait de la première visite de quelqu'un – même un simple livreur –, il fallait lui accorder quelques instants pour reprendre ses esprits et retrouver le fil de ses idées. Édouard avait accompli quelque chose de grandiose, de stupéfiant même, et les trois prix municipaux qu'il a remportés – et qu'il n'a jamais réclamés – le prouvent hors de tout doute. N'eût été de son obstination, notre jardin aurait même fait la page couverture d'une revue de jardinage. Évidemment, si cette même personne restait quelques heures à la maison et que tout ce temps Édouard le passait accroupi au pied d'un arbuste à fabriquer je ne sais quoi, le tableau se gâtait un peu. Et s'il ouvrait la bouche sur ses intentions, tout le monde, même la personne la plus volontaire, finissait par le regarder bizarrement. Mes parents, Michel et Claire, ses amis, ont tous un jour ou l'autre passé sensiblement ce commentaire dans des mots, j'en conviens, qui variaient : il a sauté une coche, ma foi du bon Dieu !

Il est arrivé aussi à quelques reprises que je surprenne ce regard étrange qu'il réservait à ses « créatures » sur ma propre personne. Surtout mes mains et mes pieds, je dirais. Il les regardait parfois avec des yeux de fou, comme s'ils étaient des plantes bizarres. Quand nous faisions l'amour, j'avais parfois l'impression d'être un organisme vivant qu'il observait avec détachement. Plus gênant encore à raconter, un soir, alors qu'il me prenait en levrette, il s'est retiré et j'ai senti – même si je n'en ai pas la preuve – qu'il me détaillait de manière à m'ôter mon humanité. Il m'avait réduit à une forme sauvage. Et je ne parle pas de faire l'amour comme des bêtes, rien à voir, ça, j'en étais tout à fait capable, il s'agissait de bien pire : il s'agissait de regarder ce derrière exposé bien haut sans désir, sans convoitise, de regarder la forme qu'il avait, l'espace qu'il occupait dans le monde, la fonction qu'il remplissait et de le mettre dans un contexte « naturel », comme s'il avait ni plus ni moins de valeur que le cul d'un chien, que la forme complexe des pistils d'une fleur. Je crois parfois qu'il aurait aimé que je me balade comme ça, toute nue, à quatre pattes, dans son merveilleux jardin. Je blague, en fait je n'en crois rien du tout. Quand même…

Et puis les choses se sont définitivement gâtées quand chaque centimètre carré du jardin a été comblé. Quand tout ce qui pouvait être fait l'a été, quand la perfection fut atteinte – bien sûr, j'exclus l'entretien normal, une petite transplantation ici et là ou les soins qu'entraînaient une maladie ou un caprice de dame Nature – mais dans l'ensemble quand son œuvre a été terminée, son attitude a changé. Il est devenu soucieux, il a commencé à tourner en rond, je crois même qu'il a maigri. Et puis un soir, je me rappelle, Maxime avait dix ans, il m'a parlé de séparation. Évidemment je ne l'ai pas pris au sérieux, j'étais persuadée qu'il traversait une mauvaise passe et que tout allait rentrer dans l'ordre quand il arriverait à se donner un nouveau défi. J'avais compris ça, avec les années, Édouard avait besoin d'être en mouvement, l'inaction ne lui allait pas du tout. J'ai toujours cru que c'était une façon de s'étourdir pour ne pas regarder la réalité en face, mais je n'ai jamais osé le lui dire. Je ne sais pas pourquoi d'ailleurs.

Et puis le moment d'en finir est réellement venu. J'avais beaucoup de chagrin, mais je m'en suis fort bien tirée. Je crois que c'est le fait d'avoir eu toutes ces procédures à suivre. J'aimais particulièrement mes visites chez mon avocate. Pas que j'aie voulu égorger Édouard ou le faire payer de m'abandonner lâchement – et, quoi qu'il en dise, si brusquement –, mais de savoir que je la payais cent quatre-vingts dollars de l'heure, ça m'aidait beaucoup. Encore là je précise, ce n'est pas une question d'argent, seulement, ce chiffre se divise si bien par soixante qu'à chaque minute qui s'écoulait dans son bureau, trois dollars tombaient dans une petite caisse métallique au fond de ma tête. Le temps devenait si découpé, si organisé, d'une certaine manière. Et, sur un autre plan, mon avocate, elle, organisait mon futur immédiat. Pendant qu'elle me parlait des procédures qu'elle entendait prendre autant pour la pension que pour la garde de Maxime, je voyais soudainement une foule de petites étapes qui ponctuaient mon temps, mes journées. C'est un peu pour les mêmes raisons que j'ai été consulter une psychologue. Même si le tarif de soixante-quinze dollars de l'heure se divise moins bien par cinquante minutes. Je blague, bien entendu. Mais de savoir que deux fois par semaine, toujours à la même heure, je serais dans son bureau, m'aidait à contenir tout ce que je ressentais. Je ne suis pas restée en thérapie très longtemps. Comme je me sentais triste et remplie d'émotions négatives chaque fois que je sortais de son bureau, il m'a semblé plus sage d'arrêter de la voir. Je me suis inscrite à un cours de *power yoga* à la place.

Et les choses ont lentement repris leur place. J'ai pu observer de loin la dégringolade d'Édouard et, bien que j'en fusse touchée, j'en ai surtout tiré la leçon suivante : toutes ces années que nous avions passées ensemble, tout ce temps, c'est moi qui l'avais maintenu en un seul morceau. À preuve, après mon départ, toute sa structure s'était effondrée peu à peu et son magnifique jardin laissé à l'abandon était devenu le symbole de sa désolation.

Je savais que je ne pouvais rien pour lui. Alors je l'ai tout simplement placé à l'extérieur de moi. Mais quand Maxime est arrivé ici avec les valises de son père pour vivre avec moi à temps plein, la paroi s'est crevée et l'extérieur est venu contaminer l'intérieur. J'ai eu pitié d'Édouard. Malgré tout ce que j'avais à lui reprocher, j'étais assez sensible pour savoir que ce serait un coup dur pour lui. Je suis donc allée lui rendre visite. Mon intention était de le réconforter, de lui faire sentir que son fils l'aimait quand même, que ce n'était qu'une passade, que tout allait rentrer dans l'ordre tôt ou tard. Mais aussitôt que je l'ai vu balancer la moitié d'une commode par la fenêtre de la chambre de Maxime, j'ai tout de suite eu envie de mettre fin à sa déroute, de lui tracer quelques lignes de conduite qu'il pourrait suivre simplement. Cette envie m'a terriblement effrayée et j'ai senti l'urgence de remettre les choses à leur place. L'extérieur à l'extérieur et l'intérieur à l'intérieur. Et laisser Édouard dehors. Alors j'ai fait ma vache. Je blague, non, je n'ai pas été vache. Peut-être un peu dure mais pas vache. Ou si peu.

Puis il a eu ce malaise. Ce maudit malaise. Je ne sais pas s'il avait prévu cette mise en scène, mais je m'en serais bien passée. Quand il m'a projetée au sol, Dieu que je me suis détestée, quand il m'a projetée au sol et que sa tête a abouti entre mes cuisses, comment dire, je voudrais que ce moment n'ait jamais eu lieu, quand sa tête a atterri entre mes cuisses, j'ai eu deux pensées simultanées. Elles étaient exactement, précisément simultanées. J'ai pensé, et j'ai un peu honte de le dire, « s'il pouvait tout simplement mourir, comme les choses seraient plus simples ». Et en même temps, et c'est cette pensée qui a été la plus terrible, j'ai cherché à me rappeler quelle culotte j'avais enfilée ce matin-là. C'était une culotte toute simple en coton blanc. Et j'ai été soulagée. Immensément soulagée parce que c'étaient ses préférées.

Dehors, devant la maison, j'ai observé les ambulanciers le glisser dans leur véhicule. Il ne me regardait pas, en fait je crois qu'il cherchait à voir un bout de ciel, mais les portes opaques se sont refermées sur lui. L'ambulance est partie et je me suis retrouvée toute seule face à notre maison. Pendant une petite seconde, j'ai eu l'impression que je ne m'étais jamais sentie aussi seule de toute ma vie. J'ai chuté dans le vide, une seule fraction de seconde, mais si vite, si vertigineusement vite, je suis tombée dans un trou si noir, sans fin, à une telle vitesse et j'ai craint si fort de percuter le sol que j'ai eu comme un sursaut ou comme un frisson peut-être, en même temps qu'un petit oh ! s'est échappé de moi sans mon consentement.

J'ai sauté dans ma voiture, je suis rentrée à la maison et j'ai dit à Philippe, mon amoureux – j'ai parlé de Philippe ? je l'oublie toujours celui-là –, que nous partions en week-end. J'ai aussi demandé à Maxime d'aller voir son père à l'hôpital. C'était ma façon de le punir. Je blague, c'était plutôt ma façon de les punir tous les deux. Je blague encore, évidemment. Non, je croyais seulement que c'était la chose à faire.

J'ai ouvert une valise sur le lit, j'ai déposé mes vêtements à l'intérieur, bien pliés, par pile, les chandails avec les chandails, les sous-vêtements avec les sous-vêtements, un pantalon et une jupe allongés sur le tout. Tout l'espace de la valise était comblé sans que rien soit comprimé. J'ai refermé le couvercle, j'ai glissé une paire d'escarpins dans la pochette latérale et, déjà, tout allait mieux. Chaque chose retrouvait peu à peu sa place.

17

J'ai appuyé sur la sonnette avec la pointe du revolver en me disant que de cette manière les choses allaient être claires d'entrée de jeu. Quelques instants plus tard, mon fils ouvrait la porte. Il sortait de la douche et ses cheveux mouillés étaient lissés vers l'arrière. Ses cils, humides, paraissaient plus longs et plus foncés. Le hâle qu'il avait accumulé au fil de l'été ressortait davantage, probablement accentué par son passage sous l'eau chaude. Je l'ai trouvé si beau qu'il s'en est fallu de peu que je ne remballe mon nouveau jouet et ne tourne les talons.

Il n'a pas été aussi étonné que je l'aurais souhaité. Pourtant, quand un type avec la lèvre tuméfiée vous pointe une arme sur le ventre et que ce type est votre propre père… Mais bon, enfin, chacun a le droit de réagir à sa manière.

— Qu'est-ce que tu fais? m'a-t-il lancé avec une diction qui trahissait tout de même un léger trouble.

— Je m'en vais me balader à la campagne avec mon fils.

Tout de suite après avoir prononcé cette phrase, j'ai trouvé qu'elle ressemblait à une réplique de film de gangsters. Comme je ne voulais pas qu'il s'imagine que j'avais l'intention de l'éliminer dans un boisé perdu, j'ai précisé que nous partions en week-end nous aussi. Au même endroit que sa mère. Il a protesté faiblement, sans trop de conviction – comme tout ce qu'il faisait –, il avait d'autres plans, n'avait pas vraiment le goût, et, surtout, mes intentions par rapport à Véronique et à son Philippe le laissaient perplexe.

— Je crois pas que ce soit une bonne idée, si tu veux mon avis.

— Fiston, pourquoi penses-tu que je pointe cette arme sur ton plexus solaire ? Et puis deux heures de route, seul à seul avec ton vieux, ce serait pas comme qui dirait « une activité père-fils » ? Tu y vois pas un excellent prétexte pour renouer avec ton géniteur ?

Il a eu l'air si découragé que j'ai eu envie de me coller le canon sur la tempe et de le supplier de m'aimer en larmoyant et en bavant.

— Allez, allez, va faire ta valise. Et oublie pas ton canard gonflable.

Vingt minutes plus tard, nous nous engagions sur l'autoroute en laissant derrière nous cette satanée ville et, je dois bien l'admettre, une odeur d'huile chauffée. Alors que mon fils avait déjà allongé ses jambes et qu'il s'apprêtait à faire un roupillon, je me suis demandé s'il avait le moindre souvenir de toutes ces balades en voiture que nous avions faites quand il était enfant. C'était peut-être grâce à ça, même s'il ne l'aurait jamais avoué sous la torture, qu'il était capable aujourd'hui de s'endormir calmement près de moi. Restait-il une impression dans son corps de ces moments passés en ma compagnie à me poser des questions sur tout et sur rien, peu importe, pourvu que papa réfléchisse gravement quelques instants et qu'il révèle ensuite un de ces secrets incroyables que recèle le monde ? Se souvenait-il de sa petite main sous la mienne, sur le levier de vitesse, et du sentiment de puissance qui le faisait parfois éclater de rire quand le changement de vitesse tombait à point? Se rappelait-il ces vieilles dames que nous saluions au hasard, pour nous amuser de leurs réponses mal assurées et de la confusion qui venait inévitablement s'installer sur leur visage? Et à notre retour, la petite déception qu'il ressentait souvent quand j'immobilisais la voiture dans l'entrée de la maison? Qu'en était-il de cette impression étrange, au moment où nous ouvrions la portière, de faire éclater une bulle qui nous avait contenus, lui et moi, alors qu'à nouveau le reste du monde pouvait s'infiltrer en nous et entre nous, dissolvant les sels d'intimité que nous avions cristallisés minute après minute au fil du voyage? Se souvenait-il de m'avoir dit dans un moment d'inquiétude sincère, un jour radieux de mai, alors qu'il avait six ans, dans ces mots exacts qui résonnent encore parfois dans ma tête: « J'ai peur, je pense que je t'aime trop, papa. » Et moi qui y avais vu la plus belle chose du monde, non pas parce qu'elle s'adressait à moi, mais parce qu'elle levait le voile sur un cœur incommensurable. Comme cela m'avait permis d'espérer le meilleur pour lui et pour nous tous! Et comme cela m'avait fait craindre le pire, aussi, pour ce petit corps qui risquait d'exploser à tout moment sous la pression d'un cœur trop grand. Où es-tu passé, mon fils? Rassure ton père inquiet, dis-moi que tu vas revenir un jour et qu'alors je t'écouterai, le dos voûté, les yeux fatigués, le crâne piqué de quelques fils blancs, me révéler un secret extraordinaire que recèle le nouveau monde, celui sur lequel tu auras trimé.

— Tu dors, Maxime!

Il m'a regardé avec une dose impressionnante de désabusement. Je lui ai demandé de quelle matière, à son avis, pouvaient être faites les conversations que ses copains avaient avec leurs vieux. Il a haussé les épaules, il n'en avait aucune idée. Alors j'ai cherché à savoir ce qu'il pensait de l'exploitation sexuelle pratiquée par certains coopérants locaux dans des camps de réfugiés de la Guinée et du Liberia.

Je n'attendais pas grand-chose de sa part. Je n'osais même pas espérer qu'il sache de quoi il était question. J'étais prêt à me contenter d'une marque de révolte, d'un élan de colère, d'un sursaut de mépris, n'importe quoi, bref, sauf l'indifférence que j'ai trouvée.

— Bon, d'accord, je t'accorde une autre chance. J'y vais un peu plus dans ta branche: le satellite ENVISAT qu'ils ont envoyé pour essayer de déterminer une bonne fois pour toutes si c'est effectivement l'homme qui est responsable du réchauffement de la planète, d'après toi, et là je veux vraiment ton avis, est-ce que tu crois que ce petit bijou de trois milliards va réussir à mettre un peu de pression sur les détracteurs du protocole de Kyoto?

J'ai vite été intrigué par son silence que la mollesse de sa lèvre inférieure gonflait d'éloquence.

— C'est ENVISAT ou Kyoto qui te perd? À moins que le concept de réchauffement de la planète te soit complètement étranger…

Il a levé les yeux au ciel.

— Vraiment, Maxime, j'aimerais que tu y mettes du tien. Ça m'ennuierait d'avoir à t'abandonner sur le côté de la route.

— Mais qu'est-ce que tu veux que je te dise!?

— Je sais pas, moi, réagis, merde, montre un signe de vie! Bon, d'accord, concentrons-nous sur des problèmes plus terre à terre. As-tu hâte de reprendre les cours?

— Non.

— Bon ben voilà, ça c'est un sujet intéressant. Veux-tu partager ton mépris de l'école avec moi? Tu sais que j'ai toujours été ouvert à ce point de vue-là. D'ailleurs, je suis sûr que tu tiens ça de moi…

— J'aime l'école, c'est juste que je préfère les vacances.

— Super. Je découvre une nouvelle facette de mon fils. Ensuite?

— Ensuite quoi?

— Je sais pas, moi, as-tu essayé une nouvelle drogue dernièrement?

— Je prends pas de drogue.

— Évidemment…

— Tu devrais être plutôt content.

— Pourquoi? Qu'est-ce qui devrait me ravir là-dedans?

— Ben pourquoi tous les parents s'inquiètent de voir leurs enfants prendre de la drogue?

— Parce que les parents en général détestent savoir que leurs enfants ont du plaisir. C'est pas mon cas.

— Je crois qu'on peut s'amuser sans consommer de la drogue.

Ce n'était pas un fils que j'avais, c'était un message d'intérêt public.

— As-tu une copine présentement ou tu considères que l'amour et le sexe sont surfaits?

— Non, j'en ai pas.

— Peux-tu développer un tantinet?

— Y a rien à ajouter.

— Es-tu gai, alors? Ce serait bien que tu sois gai, on pourrait se jouer une longue scène où je te montrerais que je t'aime quand même, que je t'accepte comme tu es, et ce serait vraiment un moment touchant entre toi et moi, tu crois pas? Toutes ces années où on s'est perdus de vue, on pourrait se faire croire que c'est parce que tu pensais que j'allais mal réagir en l'apprenant. Et là, tu te jetterais dans mes bras en pleurant et je passerais à deux doigts de causer un accident et je m'arrêterais en catastrophe sur le bord de la route et on se mettrait à rigoler comme des fous.

— Je suis pas gai. C'est juste que les filles que j'aime s'intéressent pas à moi.

Je l'ai regardé furtivement. J'étais plutôt étonné qu'il me sorte ça comme ça. Je suis revenu à la route, un peu sonné, puis je me suis de nouveau tourné vers lui.

— Mais, euh… comment elle s'appelait, la petite brune – ou est-ce qu'elle était châtaine ? – que tu voyais l'an dernier ?

— Mélissa. Je l'ai vue cinq fois…

— Mais non, ça a duré des mois !

— Trois semaines.

— Pourquoi tu m'as rien dit ?

— Je te l'ai dit.

Je voyais des voitures partout, des lignes blanches qui passaient à toute vitesse, des panneaux de signalisation qui déboulaient aux extrémités de ma vision périphérique et mon cerveau ne réussissait pas à trier ce qu'il devait enregistrer et ce qu'il devait ignorer. Incapable de tenir le rythme, j'ai quitté la voie de gauche. Le type qui s'apprêtait à grimper sur mon pare-chocs arrière m'a doublé en gesticulant. Une fois coulé au creux de la voie du centre, j'ai pu me permettre de ralentir encore.

— Dommage, elle était jolie, cette fille.

— Tu l'as jamais rencontrée.

Mais qu'est-ce qu'il racontait ? Bien sûr que je l'avais rencontrée. De quelle planète venait ce type aux bras trop longs et à la babine molle ? Max a tourné la tête vers la lisière de feuillus qui se déroulait sans fin de son côté. J'ai cligné des yeux à quelques reprises en essayant de fixer mon attention sur l'arrière de la voiture qui me précédait. Rien à faire, je n'y arrivais pas.

— Lesquelles j'ai vues alors?

— T'as vu que Nadia.

— Tu veux me dire pourquoi toutes les filles de ton âge portent des noms qui finissent en « a » ? Ça complique vraiment les choses.

Il n'a pas ri. J'ai laissé le type de devant prendre un peu d'avance. S'il devait appuyer sur les freins, je n'étais pas convaincu que le message arriverait à mon pied dans les délais.

— Les autres, y a que maman qui les a connues.

À quoi est-ce que tout cela rimait? Pourquoi « ma-man » avait-elle eu droit à ça et pas moi?

— J'ai une idée, fiston, on va profiter du week-end pour travailler quelque chose, toi et moi. Je crois que ça pourrait faciliter tes rapports futurs avec les filles.

Il se demandait si j'étais sérieux ou si je m'apprêtais à lui servir une connerie maison. J'ai cru apercevoir une certaine détresse dans son regard. Étrangement, elle ne m'a pas empêché de poursuivre.

— Tu vas répéter après moi, d'accord?

Il m'a regardé sans trop comprendre.

— Dis « m'man ».

— « M'man » ?

— Oui, fiston. Si j'étais une Vanessa ou une Laura ou même une Magnolia, merde, et que j'entendais un beau grand garçon de dix-huit ans dire ma-man en deux syllabes bien distinctes, honnêtement, je crois que je lui refilerais l'adresse d'un psychologue. Ou d'un salon de massage...

— Tu pourrais pas te demander à la place pourquoi je t'ai pas présenté les autres? pourquoi j'ai pas osé les inviter dans ta superbe maison? pourquoi j'ai pas voulu risquer que tu leur balances une de tes désopilantes remarques qui met tout le monde si à l'aise?

J'ai posé les deux mains sur le volant comme ils nous l'enseignent dans les écoles de conduite; la gauche à dix heures et la droite à deux heures. Je voulais mettre toutes les chances de mon bord.

Maxime a cinq ans. Depuis quelques semaines, il se réveille une ou deux fois par nuit et, chaque fois, il lance un «papa?» dans l'air.

Le dernier «a» n'a pas encore fini de résonner que je suis déjà réveillé. Brisé par ma journée de travail, je m'extirpe péniblement du lit et je marche jusqu'à sa chambre comme une mécanique corrodée.

— Qu'est-ce qu'il y a, Maxime?

Et il se rendort sans répondre, sous mes yeux, instantanément. Il n'a besoin de rien, sinon de savoir qu'en lançant «papa?» dans l'obscurité, il déclenche une réaction en chaîne qui me fait apparaître dans sa chambre, terriblement lourd, terriblement imposant, avec le grain particulier de ma voix et mon odeur incubée sous les couvertures. Et l'isolement est brisé, l'immensité du monde rétrécit d'un seul coup et prend enfin des proportions supportables.

Une main à dix heures et l'autre à deux. C'est la méthode que j'avais employée pour ma vie de famille. J'avais tenu le volant si fort pendant tant d'années que j'en avais encore mal aux os. Le dérapage non contrôlé qui m'emportait depuis que j'avais lâché prise n'avait pas de prix. Chaque seconde de cette déroute souffrante valait probablement de l'or. J'en sortirais plus fort, plus humain. Si j'en sortais, évidemment.

J'ai demandé à Maxime pourquoi c'était si important d'avoir une maison bien entretenue, pareille à celle de tous les voisins. Était-il complètement farfelu d'imaginer créer ses propres codes et ses propres lois afin justement de diversifier un peu le paysage ? Pour ma part, si mon souvenir était bon, et même d'après mes observations plus récentes, des tas d'enfants rêvaient d'avoir le père excentrique et désobéissant que j'étais.

— Pas moi, a-t-il dit le plus simplement du monde. Et je crois que tu rends la chose un peu plus romantique qu'elle l'est en réalité.

Être ou non comme tout le monde, c'était une interrogation bien humaine, principalement à l'adolescence. Je ne peux pas dire que la question ne m'avait jamais traversé l'esprit : est-ce que je faisais du mal à mon fils en négligeant les apparences ? Mais je savais aussi que, même au-delà de l'âge difficile, le conformisme restait la manière la plus répandue de lutter contre la solitude. Et la plus pathétique aussi. Je n'avais pas demandé grand-chose à Maxime durant toutes ces années, je lui avais même offert un exemple qui allait certainement servir un jour ou l'autre. Mais c'était peut-être une question de point de vue.

— Maxime ?

Je regardais devant moi, cramponné au volant, les yeux plissés et la bouche tordue. Comment pouvais-je arriver à tenir la route en y voyant si peu ?

— Je suis désolé, Max.

Sa surprise a été si grande qu'il a laissé tomber une sorte de « tsii ». Il attendait la suite, la blague, l'affront, l'insulte. C'est à ce moment-là que j'ai vraiment ressenti l'ampleur de la catastrophe : c'est moi qui avais transmis à mon fils ces deux terribles maladies, cynisme et désabusement, qui faisaient justement que j'avais tant de mal à l'endurer.

Mon père gît sur son lit de mort. Il crève de partout. Sa peau est mince comme du papier de riz. Le réseau complexe de son système sanguin est au jour, comme un cours d'anatomie. Son front immense ceinture sa tête comme une sangle et ses yeux creux ne regardent plus que vers l'intérieur. Sèche et molle, sa bouche, si elle daigne encore s'ouvrir, ne laisse passer que des tubes.

Je suis assis. Je suis debout. Je marche. Je tourne autour du lit. Je prends ma tête entre mes mains. Je regarde dehors. Je l'aime. Je le déteste. Je crie « tuez-le ! ». Je coiffe les quelques cheveux qui lui restent en me demandant pourquoi j'ai un tel geste. Qu'est-ce qu'il a bien pu faire pour mériter cette attention ? Je suis pathétique, je me déteste, je m'ordonne de partir mais je reste. Je tourne autour du lit comme un goéland au-dessus d'une barque de pêcheur. J'espère des miettes. J'attends un bout de tripe, quelque chose qui pourrait lui échapper et avoir des allures de propos signifiant sur nous deux. Un truc que je pourrais interpréter à ma guise et auquel je pourrais m'accrocher. S'il est toujours vivant demain matin, je lui ferai la barbe. J'aime regarder la lame traçant son chemin dans la mousse et laissant une marque distincte de propreté, de netteté. De santé ? J'aime surtout lui mettre en pleine face la tendresse que je suis capable d'avoir pour lui. Je sais que ça le fait souffrir. Je suis si plein de bonté. Et un jour je rentrerai à la maison avec un blaireau et un rasoir dans un petit sac de papier. Et tout ce qui aurait dû prendre fin ne fera en réalité que commencer. Au lieu de pouvoir laisser tomber la mégastructure personnelle qui m'aura permis de survivre jusque-là, je devrai entreprendre sa réfection. Béton armé, acier trempé, fer et fonte, consolider, fortifier mon gratte-ciel intime en attendant d'être assez fort pour pouvoir, comme aujourd'hui, m'en débarrasser.

Papa, il faut que je te raconte. En venant, tantôt, j'ai vu un homme soulever une voiture. La vie est partout, dehors, tu ne peux pas t'imaginer ! Une femme le regardait en tenant son fils par la main. Le petit avait la bouche en « o ». On aurait pu en tirer une photo superbe. Tu imagines la force de ce type ? Et le petit, pense à tout ce qu'il va pouvoir raconter maintenant. Et le soleil se lève chaque matin. Il passe la journée à décrire patiemment son arc dans le ciel. Et la pluie, tu devrais voir la pluie, elle ricoche sur les arbres, elle roule au sol, elle court jusqu'aux caniveaux puis elle cascade jusqu'au fleuve. Tu vois le fleuve sur la portion voilée de tes paupières ? Tu l'imagines ?

C'est toi qui es au bord de la mort et c'est moi qui suis mourant, c'est moi qui tends les lèvres pour que tu m'offres un peu d'eau. Tu es formidable ; lever une voiture, ce n'est rien, écraser une famille entière, ça c'est un exploit.

Je sais que tu souffres le martyre. Et je sais que cette souffrance arrive à point pour toi. C'est si bon de voir la douleur s'incarner enfin dans le corps. C'est si rassurant de savoir qu'elle quitte la tête. Ça rend les fantômes vivants, tu ne trouves pas ? Ça matérialise les ennemis. Je me meurs de quelque chose de palpable, pourrais-tu dire. Rien à voir avec les soixante-cinq années que je viens de passer avec un pieu d'acier dans la gorge et avec le cœur nécrosé. Je suis malade, je souffre dans mon corps pour la première fois. Et je ne veux surtout pas revenir de cette souffrance, car je me souviens trop bien de l'autre.

— Max, j'ai une question à cent dollars pour toi. Est-ce que je te dégoûte ?

Il s'est tourné vers moi, l'air passablement confus. Je savais qu'il détestait quand je le touchais, mais est-ce que je le dégoûtais réellement ? À l'idée de poser sa main sur moi, est-ce qu'il avait un véritable haut-le-cœur ?

— Écoute, c'est pas compliqué, tu me dis les choses telles qu'elles sont. Je peux tout entendre. Est-ce que tu as dédain de moi ?

Il a fait non, déconcerté, presque indigné, puis il a tourné la tête. Ça me suffisait. Dans le rétroviseur, j'ai constaté que la voie de gauche s'était libérée. J'ai appuyé sur la pédale, j'ai mis le clignotant, j'ai vérifié mon angle mort et j'ai repris ma place dans le trafic.

— Tu crois que maman va être contente de la surprise ?

18

Philippe s'est levé le premier. Le réveil affichait seize heures quinze précises.

— Tu veux que je te fasse couler un bain, Véro ?

Nous avions laissé la porte du balcon ouverte alors que nous faisions l'amour. Du lit, je pouvais maintenant voir le lac s'étendre au loin, parfaitement encadré entre les montagnes.

— Oui, chéri, s'il te plaît.

Philippe était un partenaire sexuel consciencieux. Tendre et doux, il prodiguait les caresses telles qu'on les enseigne dans les guides du parfait amant. Le problème, c'est qu'il ne savait pas s'emporter. Nous faisions donc l'amour posément, presque toujours de la même façon, qui devait ressembler, j'imagine, de l'extérieur, à un croisement entre une séance de relaxation et le sexe à quatre-vingts ans. Je blague, évidemment. Mais tout de même… Chaque fois, et c'était peut-être l'avantage majeur que j'en retirais, nous nous endormions tout de suite après, fort calmement.

— Je vais aller me baigner. Tu surveilles ton eau ?

— Oui, chéri.

Si je comparais les hommes de ma vie – ce qu'il fallait faire de temps à autre, il me semble –, je devais admettre, même si je détestais en arriver à cette conclusion, que c'était Édouard qui, sexuellement du moins, remportait la palme. Après quelques minutes d'échauffement, il pouvait atteindre une puissance telle, comme si chacune de ses cellules devenait parfaitement mâle, comme si chaque tissu, chaque fibre de son corps pointait dans la même direction, qu'ainsi délivré de toutes faiblesses, de toutes lâchetés et de toutes peurs, rien ne pouvait plus l'arrêter. Ça me rendait folle. Son corps fort et musclé, ses odeurs de sueur et de terre emmêlées, toute cette masse solide sur moi, en moi, labourant, éventrant et me réduisant à un amas de chair chaude et électrique, tout ça, je ne l'avais jamais connu avant et je ne l'ai jamais connu depuis. Qui sait si ce n'est pas mieux ainsi, d'ailleurs.

Ses yeux et ses mains avaient un pouvoir inquiétant sur moi. Il pouvait me faire chavirer par la seule force de son regard. Et s'il avait le malheur de poser les mains sur mes hanches, j'étais fichue, mes moyens, mon jugement et ma contenance s'évaporaient aussitôt. Avec Philippe, je ne m'envolais jamais très haut. Et si je serrais les draps entre mes doigts ou me mordais les lèvres, c'était pour arriver à me contenir, à résister à l'envie de nous inculquer des mouvements plus rapides et plus violents. Philippe y allait toujours tendrement. Si je lui demandais de s'emballer, il jouissait aussitôt – et moi, je n'en avais eu que pour me donner envie d'en avoir plus. Alors il restait « poli » tout au long de la séance et je n'en avais pas du tout. Avec Édouard, j'obtenais tout ce que je voulais et, malgré cela, je ne pouvais m'empêcher d'en redemander. J'exigeais qu'il entre en moi et qu'il sème le désordre partout, dans mon ventre comme dans ma tête. Je voulais qu'il réclame tout de moi, qu'il réquisitionne ce que j'avais de plus secret. D'ailleurs, c'est le seul à qui j'ai tout donné. Pour une raison que j'ignore – ou alors pour toutes ces raisons –, chaque fois il m'entraînait dans un lieu lumineux, un monde éthéré où se côtoyaient le pur et le sublime mais sous une forme qui m'était inconnue jusqu'alors et qui reste encore impossible à décrire. Un autre monde, avec son champ propre de codes et de perceptions, une autre représentation de la vie. J'aimais croire qu'il pouvait s'agir du monde de l'amour.

Je n'ai jamais admis ce discours rassurant – pour tous et toutes – qui prétend que la taille du pénis n'a pas d'importance. Par exemple, quand Édouard me serrait contre lui et que je sentais son membre dur au travers de son pantalon, l'effet n'aurait pas été aussi percutant avec dix centimètres qu'il l'était avec dix-huit. C'était la mesure de son désir pour moi, de mon pouvoir sur lui. Édouard ne s'est jamais émerveillé de la taille de son membre, comme tant d'autres, ni du fait d'avoir une deuxième ou une troisième érection. C'est moi qui en éprouvais de la fierté. Chaque fois j'avais l'impression de participer à l'accomplissement d'un miracle. Je venais, à l'arraché, tirer de lui la conviction que mon corps, ma personne, avait la possibilité de générer des élans, des poussées et qu'ainsi je contribuais à la mouvance du monde.

Philippe, lui, était constitué plutôt moyennement : un quinze centimètres optimiste et un tantinet grêle. Peu importe, il était si attentionné et si tendre. Et si facile à endiguer. Je ne sais pas pourquoi j'emploie ce mot, je pourrais le remplacer par comprendre, deviner et anticiper.

J'ai enfilé la robe de chambre fournie par l'hôtel – que Philippe avait eu la gentillesse de déposer sur le lit – et je suis sortie sur le balcon prendre un peu d'air. Même si la journée s'écoulait doucement et que la veille avait livré ce qu'on attendait d'elle, calme et sérénité, je pensais tout de même à ce que j'avais laissé derrière moi. Quelques pensées de mère pour Maxime : mangeait-il convenablement ? Gardait-il la maison en ordre ? Serait-il prudent s'il sortait avec des copains ? Et quelques pensées tout à fait désintéressées pour Édouard : se remettait-il de son malaise ? Qui prenait soin de lui ?

J'ai aperçu Philippe alors qu'il arrivait sur la plage. Je dois avouer qu'il avait une certaine prestance. Si on le détaillait morceau par morceau, il n'avait rien de bien impressionnant et pourtant l'ensemble en imposait. Était-ce simplement sa démarche assurée ? Peu importe, j'étais fière d'être en sa compagnie. Il faisait chaque chose si consciencieusement. Me caresser, me faire couler un bain – je savais que la température serait parfaite –, choisir un vin au restaurant, acheter un cigare pour une occasion spéciale, et, comme maintenant, déposer sa serviette sur une chaise, avancer vers le lac et plonger gracieusement au dernier moment. Le fait de savoir qu'il était à la tête d'une entreprise florissante et qu'on avait parlé de lui dans certaines revues spécialisées ne nuisait pas non plus.

De tous les hommes que je pouvais voir à ce moment-là sur la petite plage, il était sans contredit le plus élégant et le plus sophistiqué. Évidemment, c'était une appréciation superficielle, j'étais un peu loin pour porter un jugement sans appel. Mais disons que son port de tête et son allure lui conféraient quelque chose de noble. Il y avait bien un autre homme plus loin, assis tranquillement sur le sable, qui attirait sans que je sache pourquoi mon œil, mais mis à part lui, sur les quinze ou vingt mâles qui fréquentaient l'hôtel, rien. J'étais donc, encore une fois, parfaitement sûre de mon choix.

Je suis allée vérifier l'eau du bain – la température était effectivement parfaite – et je suis revenue sur le balcon prendre une dernière bouffée d'air. L'homme assis sur le sable semblait avoir remarqué ma présence. Encore là, difficile d'être formelle vu la distance qui nous séparait. Peut-être regardait-il simplement l'hôtel. Philippe nageait vers le bord de l'eau, il allait sortir d'une seconde à l'autre, et voilà que le type m'envoyait la main. Je lui ai rendu poliment la pareille et je suis rentrée à l'intérieur afin d'échapper à la confusion qui commençait à m'envahir. J'ai retiré mon peignoir et j'ai remué un peu l'eau du bain afin de bien répartir la mousse sur toute la surface. N'empêche, je n'avais pas l'esprit tranquille. Je me suis rhabillée et j'ai regagné le balcon. Philippe, enroulé dans sa serviette, s'approchait de l'homme en question.

Le téléphone a sonné à ce moment-là.

— Maman ?

— Maxime ? Qu'est-ce qui se passe, qu'est-ce qui va pas ?

— Rien, rien, je veux pas que tu t'inquiètes…

— Qu'est-ce qui t'est arrivé ? Où es-tu ?

— À la réception.

Je me suis approchée de la fenêtre, le téléphone à la main. Aiguillée par la présence de mon fils, j'ai enfin reconnu l'homme assis sur le sable. Et j'ai compris, un peu troublée, pourquoi j'avais éprouvé une vague sensation de chaleur en l'apercevant plus tôt.

La nonchalance, la félinité et la puissance tranquille de mon ex tranchaient dramatiquement avec la rigidité et l'assurance un peu brute de Philippe. Ce dernier avait les bras croisés, les genoux verrouillés et les pieds solidement plantés dans le sable alors qu'Édouard, plus détendu et fluide, gardait les bras le long du corps, témoignant d'une certaine ouverture à l'égard de son interlocuteur.

— Papa est armé, a dit Maxime.

— Quoi ! ?

— Il m'a amené ici à la pointe du revolver.

Pendant une seconde, j'ai imaginé l'effet que créerait la balle en perçant le ventre nu de Philippe. Petit trou rouge au contour bien propre qui apparaît instantanément sur la peau bronzée.

— Il t'a pas fait de mal, quand même ?

— Non, mais je trouve qu'il a l'air bizarre. Et sa lèvre est tuméfiée.

— Il t'a dit ce qu'il avait l'intention de faire ?

— Non.

Je gardais les yeux fixés sur eux. Philippe s'exprimait avec beaucoup d'aisance en riant et en gesticulant. Il montrait le lac, les montagnes et le ciel. Édouard l'écoutait avec ce que j'imaginais être un sourire en coin, sachant qu'il avait le plein contrôle de la situation.

— Bon, monte tout de suite.

J'ai raccroché et je suis sortie sur le balcon. Les deux hommes se sont tournés vers moi et m'ont aussitôt envoyé le main. Comment Philippe pouvait-il être aussi crédule ? Je les ai salués avec tout le naturel dont j'étais capable, puis j'ai tenté d'inciter Philippe à revenir à la chambre. Je n'ai rien obtenu sinon d'être invitée à les rejoindre sur la plage. J'ai attaché ma robe de chambre bien solidement et je suis sortie dans le corridor au moment même où Maxime quittait l'ascenseur. Je l'ai embrassé sur le front et je lui ai ordonné de rester à l'abri dans la chambre. Il m'a demandé s'il ne serait pas plus prudent d'appeler la police ou d'avertir les gens de l'hôtel. Les premiers avaient leur quartier général à trente minutes et les seconds consistaient en un groupe de quatre femmes dans la soixantaine. De toute manière, j'avais toujours trouvé le chemin pour atteindre Édouard, j'étais probablement la mieux placée pour venir à bout de lui et de ses intentions. Quelles qu'elles soient.

19

Nous nous sommes retrouvés, mon fils, ma bagnole toussotante et moi, dans le stationnement de l'hôtel. Comme le hasard a l'habitude de fourrer son nez partout, la seule place disponible jouxtait celle occupée par la BMW de Philippe. Maxime avait fini par s'endormir, épuisé par notre longue et profonde conversation. J'ai glissé mon pétard dans ma ceinture – même le vocabulaire commençait à m'amuser –, je suis sorti de la voiture et j'ai contourné l'hôtel.

J'espérais trouver Véronique sur la plage et son absence m'a déstabilisé. J'ai regardé le bâtiment d'une trentaine de chambres et j'ai imaginé qu'elle lisait, quelque part derrière un de ces murs, tranquillement allongée sur un lit. J'ai décidé de méditer un peu sur les étapes à suivre en m'assoyant sur le sable, face au lac.

Une sorte de petit prétentieux s'est amené avec le sérieux du type qui s'en va traverser la Manche. J'ai tout de suite cru qu'il pouvait s'agir de Philippe et comme Véronique est apparue sur un balcon peu après, j'en ai déduit que mon intuition était bonne. Pouvait-elle me repérer à cette distance? J'ai décidé de ne rien précipiter. J'étais plutôt bien, comme ça, immobile – et probablement anonyme –, quelque part dans la chaleur de son champ de vision. D'ailleurs, quand je l'ai vue disparaître dans la chambre, j'ai ressenti une sorte de manque. C'est probablement pour cette raison qu'aussitôt qu'elle a remis les pieds dehors, je lui ai envoyé la main. Mais elle ne m'a pas reconnu.

Quand Philippe est sorti de l'eau, je lui ai fait signe de s'approcher. Même s'il était plutôt maigre, plutôt petit et ma foi un peu ridicule, je pouvais imaginer que certaines femmes se laissent prendre par sa prestance.

— Elle est bonne ?

— Elle est super, comme toujours.

J'essayais de voir dans son œil s'il avait la moindre idée de mon identité. Véronique lui avait peut-être montré des photos de famille ou qui sait s'ils ne m'avaient pas aperçu un de ces jours dans un endroit public et que, après m'avoir désigné du doigt en chuchotant que c'était moi, le fauteur de troubles, elle ne l'avait pas tiré par le bras afin qu'ils s'éclipsent discrètement.

Mais non, Philippe était tout simplement content de faire un brin de causette avec un inconnu. Il a engagé la conversation sur ce foutu lac qu'il connaissait depuis toujours, et comment le ciel, et comment les montagnes, et comment les sources souterraines faisaient que l'eau y était davantage, tellement, si… Je l'ai laissé discourir en plaçant une main entre le soleil et mes yeux et en hochant la tête de temps à autre. Et aussitôt qu'il s'est tu :

— Je crois que je connais votre amie. C'est le balcon bleu, là-bas ?

— Oui…

— C'est Véronique, c'est ça ?

Il a fait oui, débordant d'enthousiasme. Il devait s'imaginer qu'on allait prendre l'apéro en discutant et, pourquoi pas, partager une table à la salle à manger. Il se frottait déjà les mains juste à l'idée de parler affaires pendant quelques heures. Véronique est réapparue sur le balcon à ce moment-là. Elle a bien essayé, pas très subtilement d'ailleurs, de le faire retourner à la chambre – Maxime l'avait peut-être mise en garde –, mais ce brave Philippe, aveuglé par l'excitation, a plutôt insisté pour que ce soit elle qui descende sur la plage.

Quand Véronique s'est approchée, l'ami Phil en était à me jurer que, si ce n'avait été de ces satanées allergies, il posséderait certainement une maison dans les environs. Que portait Véronique sous sa robe de chambre ? Ses cheveux étaient un tantinet ébouriffés et elle n'en était que plus belle. Je l'avais toujours aimée davantage avec un poil qui retroussait quelque part. Sexuellement, l'idée de défaire cette perfection et de barbouiller son image irréprochable nous avait tenus actifs pendant plus de dix ans. C'était très excitant de la voir perdre le contrôle et sacrifier toute cette contenance au profit du plaisir. Bref, Philippe pouvait bien discourir tant qu'il le voulait, aussitôt qu'elle est entrée dans mon champ de vision, je n'en ai eu que pour elle. Ses pieds nus, je les avais vus des centaines de fois venir vers moi dans le sable, sur le tapis du salon, dans l'herbe fraîche et je les aimais, ces pieds, je les aimais même quand ils s'éloignaient.

— Salut, Véronique, ai-je soufflé.

— Quel hasard ! s'est exclamé Philippe. Tu trouves pas, chérie ?!

Véronique ne lui a même pas accordé un regard. Elle me fixait avec une rare intensité. Elle savait que j'étais armé, Maxime l'avait avertie, j'en étais sûr à présent. Conscient de dépasser outrageusement les bornes, je n'arrivais pas à m'empêcher de sourire.

— Qu'est-ce que t'es venu faire ici, Édouard ?

Phil s'est raidi.

— Je suis venu discuter.

— Je suis en week-end d'amoureux, on se parlera lundi.

— Dans ce cas, je vais m'asseoir ici et je vais attendre que tu changes d'avis.

Et je me suis exécuté, j'ai replacé mon cul dans le sable chaud, face au lac. Véronique a poussé un soupir d'exaspération.

— Mais quel âge as-tu, Édouard !?

Philippe a essayé de l'entraîner en lui expliquant qu'elle n'avait qu'à m'ignorer, que j'allais bien finir par me tanner et rentrer chez moi. De toute évidence il ignorait de quel bois je me chauffais. Véronique lui a répondu que j'étais parfaitement capable de passer l'été à cet endroit et qu'on m'y retrouverait le printemps suivant dès la fonte des neiges.

Un couple d'amoureux est passé devant nous et j'ai profité du fait qu'ils se tournaient vers moi en souriant pour leur gueuler que je voulais parler à ma femme et qu'il me semblait que c'était une demande tout à fait légitime. Ils ont hoché la tête poliment avant de presser le pas.

— Je crois pas que ce soit la bonne façon de faire les choses, a chuchoté Philippe, les dents serrées. Si Véronique refuse de vous parler, c'est son droit.

J'en avais marre de ce type. Je lui en voulais de coucher avec Véronique et je lui en voulais de prêter une voiture de soixante mille dollars à un enfant de dix-huit ans.

— Écoute, l'ami, j'ai vingt ans d'histoire avec cette femme, j'ai un fils avec cette femme, on a tout fait, elle et moi, on s'est aimés, on s'est baisés, on s'est battus et on s'est torchés. Je crois pas avoir besoin d'une sorte de Phil débarqué depuis même pas trois mois pour venir me dire ce que je peux espérer ou non d'elle.

Je n'avais pas seulement jeté ces quelques phrases, je les avais savourées, les yeux plantés dans ceux de ma femme.

L'homme de la situation m'a prévenu que si je continuais comme ça, il allait se voir dans l'obligation d'alerter les autorités. Véronique savait ce qu'elle faisait – ou alors c'est qu'elle ne le savait déjà plus –, elle lui a donc intimé de se taire.

— Je crois que Véronique a raison, Phil, tu devrais fermer ta gueule.

— Édouard, je te défends de lui parler de cette manière.

J'ai sorti mon revolver et je dois avouer que la dynamique de la discussion s'en est trouvée passablement altérée. J'y prenais goût. Je me demandais si j'allais éprouver le même plaisir quand je commencerais à distribuer des balles.

— Viens avec moi à la chambre, Véronique, je veux te parler.

Je me suis tourné vers Philippe et je l'ai convaincu du regard qu'il valait mieux qu'il se tienne à l'écart quelques heures.

— Et si tu appelles la police, je te jure que je réponds pas de moi. Compris?

Il a hoché la tête. Véronique lui a fait signe de ne pas s'inquiéter, qu'elle avait la situation en main. J'ai compris qu'elle ne me prenait pas tout à fait au sérieux. J'ai donc tiré une balle dans les airs, histoire d'obtenir le respect que je méritais. Le coup de feu a retenti, l'écho nous l'a ramené trois fois très distinctement puis un silence fort impressionnant s'est abattu sur le lac. Tout le monde était tourné vers nous, bouche bée.

J'ai aperçu Maxime sur le balcon de la chambre. Il était cramponné à la rampe. J'étais trop loin pour voir l'expression de son visage et c'était tant mieux. Ce que son regard donnait à lire m'aurait probablement achevé.

20

J'ai levé la main et j'ai crié qu'il s'agissait d'une blague, que le fusil était chargé à blanc. Je n'ai pas perdu mon calme, l'incident est tombé dans ma tête, le processus de division a eu lieu et chacune des parties qui le composaient s'est retrouvée, à la vitesse du son, à sa place.

Je ne pouvais pas en dire autant d'Édouard. Il fixait un point derrière moi, l'air hagard. Je me suis retournée et j'ai aperçu Maxime, accroché à la balustrade. Je n'ai pas craint pour sa santé une seule seconde. Sous le tamis par lequel était passé cet épisode, il était clair et classé que, vu l'angle de tir, personne n'avait pu recevoir cette balle. J'ai fait signe à mon fils que tout allait bien et j'ai pris Édouard par la main.

Oui, j'ai pris Édouard par la main pour l'entraîner vers l'hôtel. Philippe n'existait plus, les gens qui nous suivaient des yeux n'existaient plus, il n'y avait qu'Édouard et moi, sa main moite dans la mienne, et je devais raffermir ma prise de temps à autre pour qu'il ne m'échappe pas. Je ne l'ai pas regardé des quatre ou cinq minutes qu'a duré le trajet. Je n'arrivais pas à imaginer l'expression de son visage. Souriait-il? Était-il catastrophé? Saluait-il son public, l'air victorieux? Regardait-il mes fesses que ma robe de chambre n'avantageait sûrement pas ? Avec le recul, je crois que je l'imaginais un peu comme un enfant à qui on fait traverser la rue, sa petite main dans la mienne. L'autre image que je peux nommer maintenant, c'est celle de l'amoureuse qui entraîne son amoureux vers un lieu plus intime, à l'abri des regards. Je crois que les deux sensations se confondaient. Mais je crois surtout qu'Édouard avait besoin d'aide, qu'il était rendu au bout du rouleau et que c'est à moi qu'il incombait de venir à son secours.

Quand il avait levé l'arme en l'air… C'est quand il avait levé l'arme en l'air et que la détonation avait claqué dans mes oreilles, avec cette lèvre tuméfiée, avec ce poing en l'air, quelque chose de très profond en moi s'était relâché. Je glissais, je me sentais glisser. L'impression était celle d'un barrage qui cède. Des millions de mètres cubes d'eau trop longtemps contenus qui amorcent soudainement une effroyable mouvance. Cet homme, son irrésistible force, sa capacité à se tenir debout, là, droit, contre vents, contre marées, deux heures de route jusqu'ici, son fils à l'autre bout du revolver, simplement pour me parler. Du coup, il rendait les sentiments que Philippe éprouvait pour moi mièvres et insignifiants.

J'ai ouvert la porte de la chambre et, quand mon fils nous est apparu, je me suis souvenue que j'avais eu toute une vie avec cet homme que je tenais par la main et que les choses s'en étaient allées doucement.

— Désolé, fiston, a lancé Édouard d'entrée de jeu.

Maxime n'arrivait pas à regarder autre chose que la main de son père dans la mienne. Avant que je ne décèle dans ses yeux que ce geste pouvait signifier quelque chose, vu de l'extérieur, avant que je ne prenne conscience moi-même que j'avais bel et bien tenu la main d'Édouard pendant toutes ces minutes en marchant vers une chambre d'hôtel où un lit défait prenait tout l'espace, je lui ai ordonné d'aller rejoindre Philippe, d'aller prendre un verre en nous attendant.

Le ton était volontairement sec. Pas pour que Maxime comprenne la gravité de la situation, pour moi, pour me raffermir, me reprendre, me reconstituer. Maxime est sorti, j'ai refermé la porte, je me suis appuyée dessus quelques instants, le temps de m'assurer que les quatre murs de la chambre ne se refermeraient pas sur moi.

Édouard s'est avancé dans la pièce. J'avais vu cet homme entrer dans des dizaines de chambres d'hôtel et je savais que la première chose qu'il ferait, avant même d'aller apprécier la vue, serait de repérer le mini-bar. Il a mis la main sur deux bières et deux petites bouteilles de scotch puis il s'est approché de moi.

— Ça fait combien d'années qu'on a pas trinqué?

— Est-ce que je peux commencer par te dire que c'est pas brillant de te balader avec une arme devant ton fils?

— Tu devrais essayer, je suis sûr que tu aimerais. Tu gaspilles beaucoup moins de salive. Même si tu chuchotes, les gens arrivent à te comprendre. Ils prêtent l'oreille d'une manière vraiment exceptionnelle.

Il a descendu la petite bouteille de scotch puis il a ouvert sa bière.

— Si tu bois, je veux que tu me donnes ton arme.

Il me l'a tendue sans rien dire et je l'ai glissée dans un tiroir de la commode comme si ça pouvait changer quoi que ce soit. Puis je me suis assise et je lui ai demandé ce qu'il me voulait. Il m'a annoncé, le plus calmement du monde, qu'il pensait de plus en plus à moi. Que depuis ma dernière visite, pour une raison qu'il ignorait – c'était peut-être le fait d'avoir vu ma culotte, ce sont les mots exacts qu'il a employés –, un paquet d'images de notre vie passée lui revenaient. Je l'ai regardé ouvrir son petit ballot aussi nonchalamment que s'il eût contenu un sandwich et un jus de pomme, et mon cœur s'est serré. Je croisais les jambes si fort, comme une façon de me nouer le ventre, que j'en ressentais un engourdissement dans le pied droit.

— Et ce que tu vois, c'est bien ou c'est moche ?

— Dur à dire.

Il a regardé autour de lui, l'air de ne pas y croire.

— Tu sais depuis combien de temps on s'est pas retrouvés ensemble dans une chambre d'hôtel ?

Il avait quelque chose d'insupportable dans les yeux. Dix ans plus tôt, cette même chose m'aurait renversée et mes vêtements auraient glissé à mes pieds.

— Avec mon amoureux et notre fils qui nous attendent dans le hall ?

— Ne sois pas cynique, tu sais ce que je veux dire…

— Et avec un fusil dans la commode ?

Il a éclaté de rire avant de se lever et d'aller regarder la vue. J'ai profité du fait qu'il me tournait le dos pour replacer ma robe de chambre. Il est revenu en rigolant. Il n'arrivait pas à croire que c'était nous, le jeune couple d'amoureux qui était allé passer deux semaines en Bulgarie seize ans plus tôt. Et, surtout, que moi, qui croisais les jambes si fort présentement, j'avais réussi à me faire à l'idée d'uriner dans le petit lavabo que nous avions dans la chambre.

— Je te rappelle que j'y suis allée pour te faire plaisir. Moi, j'aurais préféré Jérusalem.

Je savais en prononçant ce mot que je rouvrais un tiroir condamné. Le visage d'Édouard s'est éclairé, il est venu près de moi, pétillant d'excitation, et il m'a demandé si je savais combien de femmes voulaient voir Jérusalem à cette époque.

Et combien d'entre elles auraient accepté d'aller visiter Sofia à la place.

— Il fallait que je t'aime beaucoup.

Les mots sortaient de quelqu'un d'autre, ils venaient d'une autre femme. La voix me disait vaguement quelque chose, mais j'étais encore trop loin pour la reconnaître.

— Il fallait que je t'aime beaucoup, ai-je repris afin de me donner une seconde chance de l'identifier.

Un nouvel espace se dégageait en moi, comme si je découvrais une pièce condamnée en abattant une cloison dans une vieille maison.

— Tu irais à Jérusalem maintenant ?

— Maintenant je suis fatiguée, mon travail exige beaucoup de moi et quand j'ai des vacances, j'ai envie de me reposer. Et ma conception du repos n'implique pas mon ancien mari qui débarque avec un fusil.

— Un revolver.

— Comme tu voudras.

— J'aimais cette femme.

— Oh non, me sors pas ton arsenal, s'il te plaît…

— J'aimais cette femme qui voulait voir Jérusalem.

— Alors pourquoi l'as-tu amenée à Sofia ?

— Tu as adoré Sofia !

— J'ai détesté Sofia !

J'ai ri comme une idiote avant d'ajouter, comme pour justifier soit le voyage, soit le rire, que j'étais encore bien jeune à cette époque.

— Viens en voyage avec moi.

Quand il a prononcé ces mots, mon être s'est scindé en deux parties distinctes. Une jeune femme aimante, ouverte et prête à croire les promesses les plus absurdes que la vie peut porter et une femme mûre, en situation de contrôle et sans aucune illusion. J'ai décidé de tout mettre en œuvre pour ignorer ce que ces deux femmes pensaient l'une de l'autre. Ça, ça dépassait mes forces.

Comment pouvait-il imaginer que j'aurais envie de partir en voyage avec lui ? Quel culot il avait ! Et pourtant une partie de moi levait déjà l'accoudoir d'un siège d'avion pour poser ma tête sur ses cuisses. Une partie de moi marchait déjà dans une ville inconnue en se plaignant de douleurs aux pieds, des heures et des heures durant, jusqu'à ce qu'il lui demande, comme un con, si ses pieds ne la faisaient pas souffrir par hasard.

— Viens à Jérusalem avec moi.

— Qu'est-ce que tu cherches à faire exactement ?

J'étais prête à tout pour ne plus sentir cette division en moi. J'ai regardé en direction de la commode, j'ai repéré le tiroir dans lequel j'avais glissé le revolver et je me suis imaginée m'avançant vers lui en vidant le magasin et en lançant : « Ferme-la, je t'interdis de dire des choses pareilles, ferme ta gueule ! »

— Eddy, je crois qu'il vaudrait mieux que tu partes. Je me sens pas bien. Tout ça est inutile, tu y crois pas toi-même.

— Tu m'as appelé Eddy. Ça fait des années que tu m'as pas appelé Eddy. Ça me touche.

— Oh, s'il te plaît, fais pas le sentimental. Ça te va pas très bien. Et en plus, t'as toujours détesté qu'on t'appelle Eddy.

— Bois ton scotch.

Je n'arrivais pas à le croire. J'ai hoché la tête en souriant, dépassée, et j'ai descendu la petite bouteille d'un trait.

— Tu es dangereux. Voilà ce que tu es.

— Ou pire.

Quoi, pire ? Qu'est-ce qui pouvait être pire que cette invitation, six ans après m'avoir laissée tomber ?

— Ou pire, embrasse-moi, ici, tout de suite.

21

— Tu sais combien de femmes voulaient voir Jérusalem à cette époque? Et combien d'entre elles auraient accepté d'aller visiter Sofia à la place?

— Il fallait que je t'aime beaucoup, a-t-elle dit.

Son œil a lui, je suis sûr qu'il a lui. À moins que ce ne soit un autre monde que j'y aie vu chatoyer. « Il fallait que je t'aime beaucoup», a-t-elle repris en hochant la tête. Puis elle a levé les yeux en prenant une grande respiration. Elle regardait le plafond, mais elle voyait au-delà, le ciel, ses yeux portaient jusqu'au fin fond de l'espace. J'avais l'impression de pouvoir plonger dans le temps par la zone qu'elle déverrouillait dans son œil.

— Tu irais à Jérusalem maintenant?

Je voyais ses lèvres bouger, je la voyais replacer ses cheveux, sourire tristement en inclinant la tête, s'indigner, je voyais tout ça, mais je ne l'écoutais pas.

— J'aimais cette femme, ai-je dit.

Je sentais encore ma main dans la sienne. Mais ce n'était pas suffisant, je voulais faire remonter d'autres souvenirs. Bras autour de la taille. Lèvres sur la nuque. Genou entre deux cuisses. Main à plat sur le ventre. Joue contre l'arête du dos. Ces impressions, je voulais les ressentir toutes à la fois, comme des fantômes décrivant des circonvolutions rapides autour de mon cou, de ma taille, entre mes jambes. Mon corps entier était en état d'alerte, poils et cheveux dressés, je sentais leurs racines se trousser sous ma peau, elle-même traversée d'ondes et de frissons alors que, sous mon épiderme, dans mes vaisseaux sanguins dilatés, un sang clair et nourrissant claquait comme un arc électrique.

— J'aimais cette femme qui voulait voir Jérusalem.

Je la désirais si fort que j'en avais la vue embrouillée. Et même si une petite voix arrivait de temps à autre à m'atteindre – « mais qu'est-ce que t'es en train de faire, Édouard, tu n'as pas le droit de l'entraîner sur ce terrain » –, cette petite voix, je la faisais taire d'un simple claquement de doigts puis je reprenais le déploiement de mon matériel.

— Viens en voyage avec moi.

Elle s'est fissurée devant moi. La lézarde est née à la commissure de ses lèvres et elle s'est propagée sur l'ensemble de son visage, vieillissant ses traits, attristant sa bouche, affolant ses yeux. Je sentais son déchirement. Il y avait des années que je ne l'avais pas vue vulnérable à ce point, au bord de la rupture interne, je ne sais même pas si j'avais déjà assisté à un tel spectacle. Les envies semblaient poindre en salves dans sa tête, tout aussi tranchées qu'opposées.

— Ou pire…

Je la voulais pour la reconquérir. Je la voulais pour retrouver quelque chose de perdu. Je la voulais pour lui faire payer de ne plus être cette femme qui peut pisser dans le lavabo d'une chambre d'hôtel minable. Et pour lui faire payer ma propre désillusion, mon propre cynisme et mon énorme désenchantement. Lui faire regretter de ne pas avoir su me sauver. Je la voulais pour m'entendre dire « je t'aime » parce que l'absence de ces mots dans ma bouche finissait par devenir insoutenable. Je la voulais comme on veut rentrer chez soi après un voyage en enfer. Parce que c'était là que j'avais passé le plus clair de mon temps et que le chemin était simple à suivre et qu'on n'y attendait rien de moi, que je n'avais pas à être meilleur, à dissimuler ce que j'avais de pire, j'étais accepté et compris jusqu'à un point qui dépassait nettement ce que quiconque pouvait espérer.

— Ou pire, embrasse-moi, ici, tout de suite.

Je me suis approché d'elle et je lui ai tendu la main. Elle y a glissé la sienne afin que je l'aide à se lever. Nous nous sommes retrouvés face à face, à quelques centimètres de distance. Sa robe de chambre bâillait et l'aube de son sein gauche était offert. Le duvet qui courait sur sa joue luisait dans la lumière. J'ai tendu la bouche. Nos lèvres se sont touchées. Posées délicatement les unes sur les autres, d'abord à peine frôlées, puis littéralement écrasées. Nos bouches se sont ouvertes sur nos souffles chauds. Nos haleines se sont mêlées avant nos langues – c'était comme de réchauffer la chambre – puis, enfin, elles se sont aventurées en l'autre et se sont brusquement enroulées comme des serpents qui copulent ou comme des vers piqués par l'hameçon.

J'ai compris à ce moment-là que j'aimais encore Véronique. Encore assez pour ne pas lui faire une chose pareille. Je l'ai embrassée dans le cou à quelques reprises, puis, le nez enfoui dans ses cheveux, la bouche tout contre son oreille, j'ai laissé passer une dernière fois ces mots en sachant qu'elle comprendrait ce qu'ils voulaient dire :

— Je t'aime, Véronique.

— Moi aussi, Édouard.

Je l'ai pressée contre moi et je me suis offert vite, vite le luxe de promener mes mains sur elle. Dos, fesses, hanches, sexe, cuisses, sexe, ventre, seins et deux baisers sur ses yeux clos, comme si je pouvais, de cette manière, embrasser l'intérieur de sa tête.

Et voilà que nous nous appartenions encore. De notre tout premier regard à ce dernier instant. De son regard de jeune fille de vingt et un ans qui vient de monter dans la voiture de sa copine et qui tourne la tête et m'aperçoit approchant sur le trottoir. Et son expression muette et immobile derrière la vitre, et sa copine frivole qui fait craquer la transmission en passant une vitesse, et mon œil amusé alors que mes pas m'entraînent lentement vers la limite extérieure de son champ de vision. De cet instant à aujourd'hui, vingt ans, vingt années écoulées en une fraction de seconde, un cillement, mais qui ont laissé leurs milliards de marques un peu partout. En nous, autour de nous, dans toutes les directions, chaque geste fait, chaque mot prononcé, comme des billes projetées dans le temps et l'espace. J'en voulais à toutes ces choses de disparaître, de se laisser oublier. Je leur en voulais de ne pas nous accompagner toujours, perpétuellement. Juste un soupçon de quelque chose qui persiste, qui ne s'en va pas péricliter et mourir.

Comment avais-je pu un jour être à ce point dans la tête de cette femme, lové dans les méandres de son cerveau, comment avais-je pu ne faire qu'un physiquement avec elle, soudés par le cœur et le sexe, par les doigts et les lèvres, comme des siamois condamnés, introduit en elle avec mon sexe, mes mains et ma bouche et ma tête, et circulant, parfaitement intégré, dans son sang, dans ses poumons ? Et maintenant en être expulsé, éjecté en ligne droite dans le vide. Comme une bille. Une autre bille dans sa trajectoire toujours finalement mathématiquement solitaire.

— Je vais rentrer, Véronique, je suis désolé, pardonne-moi mais je vais rentrer.

J'avais employé le terme « rentrer » et quand il est venu à mes propres oreilles, je l'ai trouvé absurde. Il m'a fait rire. En réalité, je n'avais nulle part où aller. Chez moi ? Ce n'était plus chez moi, justement. J'avais mis les six dernières années à faire de cette maison un endroit hostile, qui n'offrait aucun réconfort, aucun répit, aucune tranquillité d'esprit. J'avais chassé ma femme, j'avais tout mis en œuvre pour faire fuir mon fils, croyant incendier ma vie comme une terre qu'on prépare pour les semailles, mais maintenant elle n'en finissait plus de brûler, et l'incendie d'élargir son cercle, et de profiter de la moindre brise pour gagner en violence.

Véronique, défaite, restait immobile et muette, l'œil un peu trouble. En atteignant la porte, je me suis retourné pour la regarder une dernière fois. Elle représentait presque toute ma vie d'adulte. Tout était venu avec elle et c'est avec elle aussi que tout était reparti. C'était ma femme.

Sa robe de chambre s'est dénouée dans l'aventure. Les pans tombent de chaque côté, dévoilant son ventre, son sexe et une partie de ses seins. Tout ça palpite dans le miroir de l'entrée. Son corps de quarante et un ans, son désir brûlant, son envie d'être prise par des mains si bien connues qu'aussitôt qu'elles se posent sur vous elles vous transportent dans un pays familier, des années plus tôt.

Maintenant qu'il est parti, elle voudrait Édouard. Elle le voudrait allongé sur elle, ses épaules offertes à sa vue, son sexe dans son ventre, son sexe dans sa tête comme un court-circuit, sa déroute passagère de cheval fou et sa défaite. Elle voudrait qu'il tombe encore une fois sur elle, qu'il s'écroule, brisé à cause d'elle. Et qu'elle le répare.

Mais elle a un bain à prendre. Elle verrouille la porte et elle met la chaîne. Tant pis pour Maxime et Philippe, qu'ils attendent. Dans sa tête, les tiroirs s'ouvrent et se referment indépendamment de sa volonté. Le tamis et les embranchements sont obstrués. La séparation des diverses composantes n'a plus lieu.

La robe de chambre glisse à ses pieds. L'eau est à la température de la pièce. Une sorte de tiédeur réconfortante dans la chaleur de cette journée. Comme sa vie, pense-t-elle en s'y laissant couler. Sous l'eau, parfois, il n'y a plus rien. L'eau, c'est le désert parfois. Voilà, le désert, c'est ça, pense Véronique, la solution est là, cet événement ne s'est pas produit. Elle va le maintenir à l'extérieur d'elle-même pour toujours. Elle pourra le raconter à une amie avec pas mal de précision mais comme si elle rapportait l'aventure de quelqu'un d'autre. Comme si ce n'était pas elle qui avait failli y laisser son cœur.

À Jérusalem les attentats se succèdent, des fragments d'hommes, de femmes et d'enfants volent en jets dans les airs. Les fibres vestimentaires, les matières explosives et la chair se mêlent sans distinction. Véronique croit que Dieu a évacué ces lieux-là aussi, qu'il a déserté ce monde et que personne ne s'en est rendu compte. Elle ne comprend pas pourquoi quelqu'un voudrait aller visiter un endroit pareil. Il y a une telle distance entre ce que la ville prétend être et ce qu'elle est en réalité.

Véronique se tourne vers le lavabo. C'est une de ces fausses antiquités, avec des robinets de porcelaine fleurie. Il est si haut perché qu'aucune femme ne pourrait uriner dedans. Et s'il y en a une, par hasard, qui, peu importe la raison, s'est déjà soulagée là, Véronique se trouve bien chanceuse de ne pas la connaître.

QUATRIÈME PARTIE

22

Cette intervention chirurgicale relativement simple, qui élimine, pour l'homme aussi bien que pour sa partenaire, l'angoisse de voir cette race douteuse se perpétuer, consiste à bloquer le passage des spermatozoïdes entre les testicules et l'urètre. Ils ne peuvent donc plus se mêler au liquide spermatique, jaillir de l'organe mâle et accomplir leur sinistre tâche. Même si les apparences sont sauves, dans les faits, la sauce est stérile, vaine et sans vie. Le bonheur, quoi !

L'intervention ne requiert aucune hospitalisation. Elle est menée par un urologue sous anesthésie locale. Deux petites incisions sont pratiquées sur le scrotum – une du côté gauche et une du côté droit – afin de permettre à qui de droit d'aller sectionner un segment des canaux qu'on appelle si élégamment *vas deferens*. N'essayez pas de récupérer ces petits bouts de tuyau qui vous appartiennent pourtant, ils en auront besoin pour prouver à la direction de l'hôpital et au ministère de la Santé que l'opération a bel et bien eu lieu.

On rapporte peu d'effets secondaires, à part des douleurs et des enflures qui peuvent durer quelques jours. Personnellement, et surtout avec le recul, je crois que, si on ne les rapporte pas, c'est que le patient n'arrive pas à atteindre le téléphone.

Les hommes, dans la salle d'attente, avaient, pour la majorité, la mine plutôt basse. La plupart étaient accompagnés de leur femme et ces dernières posaient gentiment une main sur la cuisse de leur conjoint ou caressaient leur bras avec sollicitude. Les regards se perdaient dans le vague, des conversations s'ébauchaient avec une certaine énergie – généralement mise en branle par les femmes – mais s'éteignaient très rapidement. Aucun entrain, aucune joie à la perspective de l'ablation qui allait suivre. Il n'y avait que moi qui, le teint dramatiquement pâle et l'œil injecté de sang, sifflotais gaiement.

Un type est revenu de la salle d'opération. C'était un homme brisé. Il a traversé la pièce lentement, l'air blême et la démarche mal assurée. Tous les patients suivaient son périple – qui prenait soudainement des allures de chemin de la Croix. Toute vie s'était échappée de lui, même ce maudit orgueil de mâle l'avait quitté. Il avait l'air d'un chiot emprisonné dans un corps de gorille qui se trimballe deux pastèques entre les jambes.

J'ai applaudi. Un peu d'enthousiasme, s'il vous plaît, qu'est-ce que c'était que ces mines d'enterrement ?! Après tout, cet homme venait de rendre un immense service à l'humanité. Les autres m'ont regardé de travers, mais tranquillement – quand je me suis mis à siffler, en fait – certains se sont joints à moi, entraînant leurs femmes à notre suite. Pour finir, nous étions une bonne vingtaine à faire sentir à ce pauvre diable notre admiration. Lui n'avait qu'une idée en tête : rentrer à la maison et se mettre les testicules *on the rocks*. Force est d'admettre que nous n'applaudissions pas tous pour les mêmes motifs. Mais peu m'importait qu'ils sachent ou non la cause qu'ils servaient, ou plutôt qu'ils la servent consciemment ou inconsciemment, l'important était que ces petits bouts de tuyau continuaient de s'accumuler sur le bureau de l'administrateur en chef.

Le haut-parleur a crachoté mon nom.

— C'est moi ! ai-je lancé avec exaltation.

Le visage fendu par un sourire frôlant la démence, je me suis frotté les mains en regardant mes compagnons. Ils étaient de nouveau, pour la plupart du moins, quelque peu mystifiés par mon attitude. J'ai pris le chemin de la salle d'opération, le poing en l'air, en scandant mon propre nom.

— Édouard ! Édouard ! Édouard !

L'infirmière était bien contente de tomber sur un optimiste pour changer. J'ai blagué quelques minutes en sa compagnie puis je suis passé dans la chambrette qu'elle me désignait et où une chemise d'hôpital m'attendait.

Alors que la femme préparait mon dossier de l'autre côté du rideau, j'en ai profité pour dire deux mots à ma queue :

— T'as perdu, ma vieille. Désolé.

— Ça va ? a lancé l'infirmière à la blague.

À voir comment elle avait réagi plus tôt à mon humour ridicule et bon marché, je crois humblement que j'étais de son goût. Elle devait se dire que la femme qui m'attendait à la maison, celle pour qui j'avais accepté de me faire tronquer les *vas deferens,* était plutôt veinarde.

— Vous avez l'air drôlement heureux. C'est la perspective de laisser tomber les moyens contraceptifs ?

— Non, j'ai pas de partenaire.

— Ah…

— C'est la perspective de mettre mon grain de sable dans l'engrenage de la survie de l'espèce.

Le silence est tombé de l'autre côté du rideau. Puis un poli et oh ! combien professionnel « c'est bien » a tinté timidement alors que l'infirmière quittait l'antichambre. Je suis sorti de ma cachette flambant nu et je les ai rejoints dans la salle d'opération. J'ai serré la pince du doc en le remerciant d'avance.

— Les hommes comme vous devraient jouir d'un statut privilégié. Tous ces petits miracles que vous accomplissez chaque jour !

Je me suis étendu sur la table d'opération et j'ai écarté les jambes en lui demandant combien il pouvait en passer, comme moi, en une année. Je me plaisais à imaginer tous ces spécialistes partout dans le monde, ils étaient certainement des milliers devant qui des files d'hommes attendaient à la queue leu leu pour se faire stériliser. L'usine ! Cinq mille hommes par jour ? Dix mille hommes par jour ? Qui sait ? Les larmes me sont montées aux yeux.

Il m'a badigeonné généreusement de liquide antiseptique puis il m'a recouvert d'un drap au milieu duquel une ouverture avait été pratiquée. Il a saisi mes couilles et les a fait jaillir par le trou. Vu de haut, il n'y avait que ma tête et mon scrotum qui dépassaient. J'étais réduit à ma plus simple expression. Tous mes ennuis étaient venus par ces deux extrémités. J'ai proposé au doc un combo : électrochocs et vasectomie, deux pour le prix d'un. Il n'a pas relevé.

— Je voudrais suivre l'opération, si c'est possible.

— Voulez-vous qu'on vous tienne un miroir ?

— Oui, s'il vous plaît.

L'infirmière s'est exécutée tandis que le doc prenait une seringue dans un petit plateau derrière lui. D'une main, il a tiré sur la peau de ma bourse et l'aiguille s'est approchée lentement.

Papa immobilise la voiture. Je n'ose pas encore tourner la tête et regarder la cour de ma nouvelle école. Je fixe l'horizon, un point diffus loin, loin devant moi. J'ai onze ans. Le congé Pascal est terminé. Ma vie telle que je la connaissais avant n'existe plus. Je suis en équilibre, un pied de chaque côté d'une déchirure qui s'aggrave de jour en jour.

— Tu te souviendras du chemin pour rentrer à la maison?

Nous avons emménagé la veille. Depuis que maman est partie, je laisse mes amis beaucoup plus facilement. Rien ne m'atteint vraiment et si les choses s'accrochent, ce n'est que momentanément. Les gens, les attentions, les sourires ricochent sur moi comme des cailloux sur une porte barricadée.

Ici tout est nouveau, la campagne, la petitesse du village, la lumière, les odeurs. Je fixe toujours loin, loin devant moi mais malgré tout, dans la périphérie de mon œil, ma nouvelle cour d'école me paraît plus vaste que toutes celles que j'ai connues avant.

— Bonne chance, Eddy.

Je tourne les yeux vers lui. Je déteste quand il m'appelle Eddy. Mon nom, c'est Édouard. Je m'appelle Édouard. Je hais ce nom, mais je veux l'habiter le plus fort possible. C'est ma mère qui l'a choisi. Un nom qui ne me va pas, c'est tout ce qu'il me reste d'elle.

Mon père fixe aussi quelque chose quelque part, très loin devant nous. J'ouvre la portière et je sors.

— Je vais travailler tard, tu vas probablement dormir quand je vais rentrer.

— O.K.

— Il y a une tranche de steak dans le frigo.

Je me tourne vers la cour. Les cris des enfants sont les mêmes partout dans le monde. J'entends la voiture de mon père s'éloigner derrière moi. Tous les départs se ressemblent aussi. Ils font le même vacarme, puis c'est le même silence qui vient tout recouvrir. Je parcours du regard les lieux : l'école de briques rouges, la cour asphaltée, les ballons de caoutchouc qui rebondissent, les cordes à danser qui décrivent leurs ellipses, l'odeur de goudron que le vent nous ramène par à-coups de la voie ferrée. Je lance mon sac sur mon épaule, je pose un pied devant l'autre et j'avance vers ces deux cents étrangers.

— Ça va ? Vous tenez le coup ?

— J'ai eu des amantes beaucoup moins délicates que vous, docteur.

— Si vous commencez à revoir le film de votre vie, avertissez-moi.

— Oui, oui, vous inquiétez pas, me suis-je efforcé de répondre en rigolant.

La porte de la maison se referme avec une sorte de bruit de succion. Tout devient sourd, comme dans un sas. Une odeur de carton et de papier journal persiste encore. Nos assiettes de la veille et du déjeuner traînent dans l'évier. J'en lave une avec le tampon à récurer. Pour l'essuyer, je l'appuie contre mon chandail et je lui fais décrire des cercles. Dans le réfrigérateur, je trouve une tranche de steak.

Je glisse un morceau de beurre dans la poêle chaude. Quand il commence à bouillonner, je remue l'ustensile de manière que le beurre se répande partout puis je laisse tomber la tranche de viande à l'intérieur. De la fumée s'échappe aussitôt, alors je mets le ventilateur en marche.

Je lave un couteau et une fourchette que j'essuie aussi sur mon chandail. La maison est maintenant remplie de bruit. La chair qui brasille, le ventilateur qui aspire la fumée et la rejette machinalement dehors, tout a l'air si normal qu'une femme pourrait sortir de la salle de bain et marcher vers la cuisinière en s'essuyant les mains sur son tablier ; un homme pourrait passer devant la fenêtre en poussant une tondeuse ; un enfant pourrait écouter la télévision au salon. Je tourne le steak à l'aide de la fourchette. Je tire un verre de l'armoire et je vide le restant du carton de lait à l'intérieur. Je ferme le feu et le ventilateur. Je m'assois au bout de la table. D'ici je peux voir le chien du voisin d'en face. Il est assis, au bout de sa chaîne, et il regarde les voitures passer.

Vers vingt-deux heures j'enfile mon pyjama et je brosse mes dents. Un dernier coup d'œil à la cuisine avant de passer à ma chambre. Tout est en ordre. Mon matelas est posé par terre. La base s'est brisée durant le déménagement. Papa a dit qu'il m'en achèterait une autre un de ces jours. Je replace les couvertures avant d'aller éteindre la lumière et de revenir à tâtons vers mon lit. Les draps sont usés et confortables. Ils portent une odeur ancienne, difficile à définir, un amalgame. Je me tourne sur le côté, je ramène mon poing sur ma poitrine. Il n'y a aucun bruit. Le silence est total. Puis notre vieux réfrigérateur se met en marche et son ronron déferle sur le plancher de la maison comme une vague chaude sur une plage abandonnée.

Papa rentre à minuit quarante-neuf. J'entends la voiture arriver, la portière, ses pas dans l'allée, la clé dans la serrure, la poignée, les pentures. J'ai replacé mon assiette dans l'évier avec mon couteau et ma fourchette. J'ai lavé mon verre et la poêle qui m'a servi à faire cuire le steak. Je n'ai laissé aucune trace. Il ouvre une lumière et il avance dans la maison, j'entends le plancher craquer, il s'arrête dans l'embrasure de la porte de ma chambre. Il me regarde. Je suis couvert jusqu'au milieu du visage et je lui tourne le dos. Il ne distingue qu'une petite forme vaguement humaine sous les couvertures. La seule trace que je n'arrive pas à effacer.

Quand je suis sorti de l'hôpital, cette idée persistait encore dans ma tête. Je repensais à mon jardin et à ma maison, et, ironiquement, il fallait bien avouer que ce que j'essayais de faire depuis six ans, c'était justement d'effacer toute trace de ce que j'avais été auparavant. Je revenais sur mes pas, une branche d'arbre à la main, brouillant de la pointe feuillue la piste que j'avais laissée à l'aller.

Je me suis immobilisé sur le trottoir. Je ne me souvenais plus où j'avais garé la voiture. Mes testicules étaient encore parfaitement gelés et ils ne me causaient aucun désagrément, mais le caleçon spécial que le docteur m'avait fourni, quelque chose entre la couche et la serviette sanitaire super absorbante, occupait plus de place que souhaité dans mon pantalon.

Un type est sorti tout de suite après moi et il m'a tapé l'épaule au passage.

— On dirait que vous riez moins fort maintenant.

— C'est parce que je savoure.

C'était fait, j'étais stérile. Effacer sa trace, disparaître par morceaux. Deux petits bouts de tubes aujourd'hui, qui sait, peut-être un appendice demain et un poumon dans quelques années. En attendant, comment vivre le reste de ma vie sans laisser de marques ? Après tout, certains optimistes auraient pu dire que j'étais encore jeune. M'installer définitivement dans la stérilité, voilà, ne faire que des choses qui ne peuvent rien entraîner, ne rien générer. Adopter le même discours stérile que tout le monde, ne pas m'opposer, et, si je m'oppose, m'opposer avec stérilité, c'est-à-dire en prenant bien soin de ne pas engendrer de débat réellement productif. Fini d'exiger, de réquisitionner et de gueuler. Lissons ce poil qui retrousse et joignons-nous à la majorité silencieuse.

La première nouvelle pensée qui m'est venue à l'esprit, c'était d'appeler Maxime et de lui dire que tout était O.K. maintenant, qu'il pouvait passer quand il voulait, avec ou sans copine, histoire de prendre un verre bien calmement sur la terrasse. Je serai là, Max, bien civilisé, je ne dirai plus de conneries, promis, j'irai à la cuisine mélanger des drinks sophistiqués et je vous rapporterai ça dans de jolis verres avec le tintement des glaçons et les gouttelettes de condensation qui font ploc ! en tombant sur le bois traité.

Il y avait un attroupement devant chez moi. Pendant une seconde, j'ai cru que j'avais été trouvé mort et que la nouvelle s'était répandue dans le quartier. En fait, trois employés de la voirie rasaient la portion de terrain comprise entre la maison et la rue sous les cris et les applaudissements de mes chers voisins, massés là pour assister à la victoire du bon sens.

Je me suis garé un peu à l'écart pour apprécier, moi aussi, le fabuleux spectacle. Des nuées de particules végétales montaient dans l'air chaud alors qu'une odeur de sciure de bois et de verdure déchiquetée se répandait lentement. Le bruit était infernal. Mes voisins et mes voisines profitaient de cette manifestation pour renouer des liens desserrés et laisser la voie libre à six années de frustrations refoulées. Ils discouraient entre eux sur les règles du savoir-vivre-en-société et laissaient échapper un oh ! de joie quand une pousse plus coriace cédait enfin à l'assaut d'une tronçonneuse.

Celui que je surnommais affectueusement Franco, mon troisième voisin, qui s'était déjà vanté au journal télévisé, dans un reportage sur les ravages de la canicule, d'arroser cinq fois par semaine malgré les interdictions de la municipalité, eh bien ce Franco, qui avait revêtu la camisole pour l'occasion, essayait maintenant de convaincre un des employés d'aller faire de même à l'arrière de la maison. Je suis sorti lentement de la voiture en m'accrochant à la portière et en maintenant les jambes le plus écartées possible, la phase de dégel étant enclenchée.

Il serait faux de dire que mon arrivée n'a pas terni leurs festivités. Certains se sont éclipsés subtilement, d'autres ont reculé quelque peu ou ont feint d'être là par hasard, tout simplement en train de converser avec un ami. Je les ai salués en souriant. J'étais bien conscient d'avoir profondément déçu ces gens. En fait, je les avais carrément trahis. Il faut se rappeler qu'à une certaine époque j'étais leur idole, leur mentor, celui qu'ils venaient trouver avec une feuille de chêne couverte de cloques et l'œil inquiet. Ou celui qu'ils épiaient discrètement alors qu'il déchargeait de la voiture des *Brassica oleracea* et des *Amaranthus gangeticus* et jetait par le fait même une ombre sur leurs œillets et leurs géraniums. Aujourd'hui, ils trouvaient une façon de se rassurer ; je n'avais pas encore regagné leurs rangs, mais au moins j'avais été puni. On s'était rassemblé pour me signifier haut et fort que j'avais eu tort sur toute la ligne. Ici, dans mon village, dans mon pays, le brin d'herbe qui ne poussait pas au même rythme que les autres était vite ramené à l'ordre. Voilà, j'étais en voie d'être réhabilité.

Les moteurs se sont tus un à un et le silence est retombé sur la petite banlieue qui venait de vivre un formidable moment d'excitation.

— Merci pour tout, vous êtes bien gentils, vous pouvez pas vous imaginer à quel point vous tombez bien.

— On veut l'arrière! a scandé Franco.

— Oui, on veut l'arrière, on veut l'arrière! ai-je lancé à mon tour.

Tout le monde m'a regardé d'un air ahuri. L'employé de la voirie m'a expliqué qu'il ne pouvait pas prendre ce genre de décision, qu'il ne faisait qu'exécuter les ordres. Et que les ordres, comme les malheurs, tombaient d'on ne sait où ni pour quelle raison exactement. Ça ne l'a pas empêché de me tendre une facture. Je l'ai glissée dans ma poche en le remerciant.

— Il faudrait que vous posiez une porte à l'avant de votre maison.

— Qu'est-ce que vous voulez dire?

— Je crois pas que ce soit légal.

— Alors dans ce cas, je vais m'en occuper dès demain.

Il a eu l'air soulagé. Il croyait peut-être que j'étais le genre de type à lui causer des misères. Ses copains l'attendaient dans le camion, l'heure du lunch allait sonner, il a tourné les talons.

Le fruit de leur carnage gisait sur le sol, branchages, fleurs, feuilles, plantes diverses déchiquetées, mâchurées, effilochées. Des sèves blanchâtres ou translucides perlaient sur les blessures fraîchement infligées. Des fourmis s'agitaient autour de leur antre piétiné et mis au jour. Les passants, eux, désertaient tranquillement les lieux, satisfaits. Mais jusqu'à un certain point seulement. Comme si quelque chose manquait encore à leur bonheur. D'où venait cette incapacité à atteindre la satiété ? Qu'est-ce qui faisait que la joie, le bonheur, n'arrivaient jamais à tout balayer, à tout envahir ? Les jours se distillaient dans un sentiment impossible à nommer, comme un état de dépression latent qui filait dans les couches souterraines de leurs vies. Ou alors ils étaient simplement déçus de ma performance ; ils auraient préféré me voir tomber à genoux et hurler de douleur à la vue du massacre. C'est qu'ils ignoraient que je n'avais plus mes couilles.

Seul Franco restait immobile, planté au milieu de l'entrée, à regarder la cour arrière avec appétit.

— Désolé, c'est pas pour aujourd'hui, Franco.

— J'ai eu ta devanture, je vais avoir le reste.

Il m'est apparu que si toutes les énergies dépensées pour des futilités, çà et là dans le monde, étaient mises au service d'une véritable cause, un sacré ménage pourrait être fait sur cette planète. Mais ce n'était pas demain la veille.

— Franco, attends pas que j'aille te filer quelques arpenteuses de Bruce. Tu sais pas ce que ça peut faire comme ravages. Ces bestioles sont carrément démentes. Elles mangent de tout : érable, peuplier, hêtre, coudrier, bouleau, cerisier, chêne, frêne, orme, tilleul, une vraie merveille.

— T'oserais pas !

— C'est ce que tu crois ! Tu peux même pas imaginer ce que je cultive comme larves et comme champignons dans mon sous-sol. Si j'étais à ta place, je ferais le plein de pesticides parce que, si vous continuez vos conneries, c'est une vraie guerre biologique que j'ai l'intention de vous mener. Tous autant que vous êtes.

Et immédiatement après avoir prononcé ces mots, j'ai pris conscience que c'était l'ancien moi qui parlait. Une sorte de rechute, si je puis dire. J'ai rassuré Franco en lui tapotant l'épaule et en lui jurant que je blaguais. Je l'ai invité à prendre le thé, mais il a eu peur que je l'empoissonne ou un truc du genre.

— Alors une autre fois, peut-être…

J'ai contourné l'amas de meubles sous la fenêtre de mon fils, j'ai attaqué l'escalier et je suis monté sur la terrasse. Deux petits oiseaux s'étaient aventurés dans la maison. Ils picoraient des miettes sous la table de la cuisine. Ils m'ont regardé, l'air de dire « mais qu'est-ce qu'il fout ici celui-là ? ! ».

J'ai dû agiter les bras pour qu'ils déguerpissent. Paniqués, ils ont fait le tour du salon à deux reprises, le temps de repérer une autre issue, puis ils ont filé par la fenêtre de la salle à manger.

— Sales bestioles !

23

Dans un shaker à moitié empli de glace, verser une portion de lait de coco, une portion de cognac, deux portions de jus d'ananas et deux portions de rhum blanc. Assaisonner de sel et de sucre et ajouter un trait d'angostura avant d'agiter trente secondes. Servir en retenant la glace. Ceux qui comme moi ne lésinent pas sur l'effort ni le coût le présentent carrément dans un ananas évidé en y ajoutant de petits morceaux de chair.

Je suis revenu sur la terrasse sous l'œil médusé de mon fils. Pour l'occasion, je m'étais acheté une chemise signée de deux cent quatre-vingts dollars et j'avais essayé un nouveau coiffeur. Je l'avais choisi bien jeune, bien « hip » et tout ce qu'il y a de plus gai, uniquement à partir de l'aspect extérieur de sa boutique.

— Je veux être à la mode, avais-je lancé en m'assoyant sur sa chaise design.

— Laquelle ?

— Je sais pas, partez de la chemise.

Il s'est mis au travail en s'observant sporadiquement dans la glace. Il semblait considérer son travail comme une sorte de ballet dont il était le soliste. Ça m'a grandement rassuré qu'il ait à ce point le sens de l'esthétique. Les poils tombaient sur mes épaules, cascadaient sur mon torse, et je sentais un sang nouveau circuler dans mes veines. Pendant que j'y étais, je lui ai demandé quelques potins artistiques. Il m'a raconté un paquet d'histoires, les noms de stars voletaient sous mes yeux comme des flocons, et je les regardais avec la fascination d'un enfant devant la première neige, sans y comprendre quoi que ce soit. La vie pouvait parfois être si merveilleusement simple. En déposant son pourboire sur le comptoir, je lui ai annoncé qu'il y avait une petite fête chez moi, le soir même, et qu'il était le bienvenu si le cœur lui en disait. Son expression m'a indiqué clairement que j'avais transgressé quelque loi tacite. Il faudrait que j'étudie davantage les rapports humains, me suis-je dit en sortant de sa boutique et en me demandant si tout ce vent n'allait pas ruiner ma nouvelle tête.

— Tu m'as toujours pas dit ce que tu en pensais…

Maxime était encore sous le choc. Je comprenais pourquoi et je n'avais pas l'intention de le brusquer. Évidemment, la transformation était quelque peu radicale. Et je ne parle pas de mes cheveux. Le lendemain de ma vasectomie, j'étais passé à la pépinière pour faire causette avec Bertolini fils. À grand renfort de repentir, de compliments et de claques dans le dos, en lui promettant la vie éternelle et sa mère, j'avais réussi à me faire reprendre à l'essai pour quelque temps. Il faut dire que je n'arrivais pas les mains vides – et je ne parle pas d'un revolver, ce temps-là étant révolu. Bertolini a fini par accepter, non sans me menacer des pires atrocités si je m'écartais une seule fois du droit chemin. Le matin suivant, je me rendais sur le lieu du contrat-cadeau que j'avais offert à mon patron bien-aimé : ma propre cour arrière. Trois employés de la boîte sont venus me prêter main-forte avec la machinerie nécessaire. Raser, déraciner, épandre une couche de terre et dérouler un grand tapis de pelouse en bandes. On aurait dit une grande patinoire verte fraîchement arrosée. Ça sentait bon le gazon de par chez nous.

Voilà de quel choc Maxime n'arrivait pas à se remettre.

— T'avais raison, mon fils, c'était rendu sinistre ici.

Il a levé les yeux vers la maison. J'ai regardé dans la même direction que lui. Oui, en fait, il fallait bien avouer que le travail n'était pas terminé ; remettre les portes et les fenêtres, réparer la toiture, raser la vigne, exterminer les araignées et chasser les chauves-souris, tout ça restait encore à faire. Mais la cour, la cour était tellement parfaite, elle se fondait si bien avec ses sœurs.

— Je m'occupe de la maison dès demain. Et toi, de ton côté, quoi de neuf? Paré à reprendre les études? Une petite amie en vue?

Il a esquissé un drôle de sourire. J'ai su tout de suite que j'avais frappé dans le mille. Je l'ai laissé discourir sur la fille de ses rêves un moment puis je lui ai fait promettre de revenir me la présenter le plus tôt possible si les choses évoluaient à son avantage. Tout en précisant que la maison serait retapée d'ici là, croix de fer, croix de bois, si je mens je vais en enfer. J'ai poussé l'ananas devant lui avant que son contenu tiédisse. J'avais vraiment hâte qu'il y trempe les papilles.

— Je suis bien content que t'aies accepté mon invitation. J'en profite pour m'excuser, c'était pas tellement brillant de te faire endurer tout ça et encore moins de jouer du revolver sous tes yeux.

En fait, cet épisode, il l'avait trouvé plutôt sympathique. Du moins en ce qui a trait à la portion qui mettait sa mère et Philippe en scène. J'étais soulagé de l'entendre. Philippe s'était avéré un peu con, finalement (*sic*). Un copain de Maxime avait grillé une cigarette dans sa BM et, malgré le fait que les fenêtres étaient ouvertes, Philippe avait décelé l'odeur le lendemain matin. Il avait appelé Maxime derechef pour lui dire qu'il serait privé de l'engin pour deux semaines et que si un événement du genre se reproduisait, leur entente deviendrait automatiquement caduque. J'ai cru le moment plutôt bien choisi pour lui parler de mon intention de m'acheter une voiture neuve – pour mettre en valeur ma chemise et ma coiffure – et de lui refiler ma vieille bagnole. Même si elle n'avait rien d'une BMW, je crois que Maxime voyait déjà miroiter, comme un mirage sur l'asphalte par une chaude journée d'été, l'autonomie et la liberté que la monture pourrait lui procurer.

— Je la ferai repeindre, si ça peut te faire plaisir.

Les chocs s'accumulaient et il n'arrivait tout simplement pas à reprendre le dessus.

— Mais allez, bois.

Il a pris la paille entre ses doigts et il a tiré une première gorgée. Son visage s'est illuminé et un « Mmm » sans équivoque a résonné. J'étais ravi. Je savourais chaque seconde.

— Tu crois que maman va venir ?

Maman est venue, à ma grande surprise. J'avais dû insister pas mal au téléphone. Elle s'imaginait que ça cachait quelque chose. Non, je te jure, Véronique, je suis tanné de tout ce cirque, je veux juste qu'on fasse la paix. Si tu ne viens pas pour moi, viens au moins pour Maxime. Il me semblait que j'apprenais plutôt vite les règles du chantage émotif et le B-A BA de la manipulation. Véronique est donc venue au bras de son Philippe. Je les ai accueillis avec un sourire de sain d'esprit et un malaise – parfaitement calculé – tout ce qu'il y a de plus normal entre un homme et la nouvelle flamme de son ex. Philippe m'a tendu la main et j'y ai fourré un ananas plein à ras bord plutôt que ma sympathique menotte. J'ai embrassé Véronique sur les joues en inspirant profondément. Elle n'avait toujours pas changé de shampooing, c'était bon, c'était merveilleux, et c'était fini. La scène de la chambre d'hôtel n'avait jamais eu lieu. Aucune allusion, aucune complicité, aucun regard tendre. Elle a observé la cour avec un sourire vainqueur et ce que je soupçonnais être un brin de nostalgie. Ce sont les années glorieuses qu'elle devait regretter, certainement pas celles du délabrement. Une sorte de déception, peut-être reliée à moi – l'homme qu'elle avait connu et aimé –, transperçait aussi. Je crois qu'elle trouvait mon cheminement un peu triste. Mais cette superbe pelouse mettait en évidence ma santé mentale ainsi que mon aptitude à vivre dans le monde adulte, et c'était grandement rassurant pour celle qui devait encore m'endurer comme père de son enfant. Sans compter qu'une fois de plus le bon sens l'avait emporté et ça, ça, ça c'était doux à l'oreille du commun des mortels. Philippe, de son côté, me semblait moins convaincu. Il m'examinait attentivement, suivait chacun de mes gestes, scrutait mes paroles et fouillait entre chaque ligne à la recherche d'un indice qui trahirait une quelconque supercherie. Après tout, et je le lui aurais certainement accordé s'il avait eu le courage de me le dire en face, j'aurais très bien pu inviter tout ce beau monde ici, les entasser au milieu du terrain et tirer dans le tas en me délectant de leurs cris.

Mais comme je n'avais pas l'intention de tolérer quelque malaise que ce soit sur ma propriété, j'ai posé une main ferme mais aimante sur son épaule.

—Si tu veux visiter la cave ou le garage, tu me fais signe… Véro, je te sers à boire?

Mon fasciste de Franco et sa tendre épouse sont arrivés peu après. Nous étions devenus les meilleurs amis du monde, lui et moi. En quelques jours, j'étais passé de moulée à vermine à voisin respectable, et, aujourd'hui, à voir l'énergie de la poignée de main qu'il m'accordait, je pouvais quasiment me considérer comme son fils. À preuve, le jeune lilas d'une dizaine de centimètres qu'ils avaient apporté à mon intention.

— Non, vous n'auriez pas dû.

— J'ai pas besoin de te dire comment en prendre soin, a-t-il lancé à la blague.

Nous avons bien rigolé, mes voisins, ma famille et moi. Nos rires se sont élevés dans l'air de la banlieue en décrivant toutes sortes de formes qui rappelaient les fioritures de nos maisons et les motifs de nos papiers peints.

— Comment vais-je vous remercier ? Peut-être en vous offrant un Piña Colada bien frappé ?

Franco rêvait davantage d'une bière fraîche, mais sa femme était disposée à tenter l'expérience. Tous deux connaissaient Véronique, ils avaient vu grandir Maxime, ils les ont rejoints sur la terrasse alors que je passais à l'intérieur jouer du shaker. Une compilation de succès techno achetée exprès pour l'occasion jouait dans la maison. Mon cul remuait tout seul, entraîné par tout ce bonheur qui voltigeait autour de moi. Comme il était rassurant de rentrer dans les rangs. Tout le monde ne se tenait pas là par hasard, l'air y était moins rare et le ciel beaucoup plus clément.

Michel, Claire et Juliana – j'avais insisté pour qu'ils l'invitent puisqu'elle faisait maintenant partie de la famille – ont été les suivants à arriver. Simone ne les accompagnait pas. Je n'avais pas de peine à croire qu'elle soit fâchée contre moi. Je ne lui avais pas donné signe de vie depuis que nous avions fait l'amour et voilà que je lui téléphonais, mine de rien, pour l'inviter à une garden-party.

— Simone, c'est Édouard !

— Je reconnais pas ta voix, Édouard, qu'est-ce qui se passe ?

— Ça doit être mon téléphone cellulaire.

— Tu t'es acheté un cellulaire ?

— Oui, c'est super ce gadget. Tu sais que tu peux téléphoner d'absolument n'importe où ? Comme là, présentement, je suis dans une toilette chimique sur un chantier. Es-tu libre demain soir, je fais une garden-party ?

Elle allait y penser, mais le ton de sa voix n'augurait rien de bon. Comme j'essayais de limiter au minimum les séances d'introspection – à l'exemple de mes contemporains, je m'étais aperçu que mon taux de stress et d'anxiété baissait de façon spectaculaire depuis que j'essayais de ne pas réfléchir –, je ne m'en suis pas fait outre mesure.

Michel était habillé jusqu'au cou malgré la chaleur qui sévissait. Claire et Juliana s'efforçaient de sourire, mais le cœur n'y était pas, elles étaient réellement inquiètes pour leur homme. Quant à moi, je n'ai pas laissé l'émotion monter. Ce n'étaient ni la place ni le moment, j'avais des invités à contenter. Michel avait maigri et son visage était affreusement changé. Sa force légendaire, sa présence de stentor avaient disparu, évanouies. Tout était fuyant, ses pas, ses gestes, sa façon de glisser son regard d'une chose à une autre.

Je me suis approché. Nous nous connaissions depuis si longtemps, lui et moi. Claire et Juliana, qui se tenaient chacune d'un côté, se sont légèrement écartées. Michel, bras ballants, attendait que j'arrive à sa hauteur comme s'il n'y avait plus que sur moi qu'il pouvait compter. Il m'imaginait capable de lui redonner ce qu'il avait perdu, sa puissance, son invulnérabilité, moi qui avais connu chaque seconde de sa vie glorieuse. Je me suis épinglé un sourire blindé, inspiration Michel l'oculiste.

— Mais qui a dit que t'étais malade, t'as l'air en pleine forme !

Ça l'a mis complètement knock-out. Il a glissé piteusement les yeux vers sa tendre moitié.

— C'est d'un verre que t'as besoin, mon vieux !

— Pas d'alcool avec les médicaments, a laissé tomber Claire.

— Ah ces bonnes femmes ! Si tu changes d'idée, fais-moi signe…

Je lui ai tapoté l'épaule et je suis retourné à l'intérieur préparer des plateaux de croustilles et de crudités. Avec tout ce monde, je commençais à être légèrement dépassé. J'ai troqué le shaker pour le mélangeur, même s'il s'agissait d'un sacrifice en matière de texture. Alors que je m'étirais pour sortir un plat de service d'une armoire, une douleur vive m'a transpercé le testicule droit. Je ressentais bien un léger inconfort depuis quelques heures mais là, ça n'avait rien à voir, c'était à tomber à genoux. J'avais peut-être repris mes activités trop tôt. Mon doc, ce héros, m'avait suggéré de ne pas bouger durant trois jours, mais moi, pressé d'entreprendre ma nouvelle vie, j'avais plongé dès le lendemain dans la réfection de mon petit carré de pâturage. J'ai fourré la main dans mon slip et j'ai noté une certaine enflure. Au même moment, je me suis dit qu'il faudrait bien que je pense à sauter une femme mariée un de ces quatre.

Claire est entrée peu après. Elle s'est approchée et elle m'a giflé. Je ne l'avais jamais vue dans cet état, Claire si réservée, Claire si parfaitement occupée à calculer ses calories la tête bien au chaud dans le sable.

— Veux-tu des nouvelles de ton ami d'enfance ?

— Lequel ?

— Qu'est-ce qui te prend, qu'est-ce que tu as ? Il fait une dépression, Édouard, et toi, tu t'en vas lui balancer quoi comme connerie, déjà ?

Je n'avais rien de rassurant à lui dire et rien d'intelligent pour me défendre. En revanche, j'avais une fête à mener à bien.

— Excuse-moi, Claire, mais j'ai pas vraiment le temps…

— Il a besoin de toi. Tu peux même pas te douter à quel point.

La dernière fois que j'avais demandé de l'aide à cet abruti alors que j'étais à deux doigts de me brûler la cervelle, cet « ami » m'avait suggéré de baiser Juliana pendant quelque temps. Qu'est-ce que je pouvais faire pour lui, en échange ? Lui trouver une troisième fille ?

Claire lui avait rapidement déniché un psychiatre et, plus veinard que d'autres, ses médicaments commençaient déjà à faire effet. Ne restait plus qu'à ajuster le dosage. Comme ils avaient pris le mal à temps et qu'ils doublaient le remède d'une thérapie, Michel avait de bonnes chances de s'en sortir sans trop de dégâts. Alors que Claire m'expliquait tout ça, un nœud se nouait et se dénouait entre mes omoplates. Ma tête travaillait si fort pour bloquer ce qui tentait de surgir des profondeurs, ce qui voulait s'échapper d'un certain appartement barricadé, que tout mon corps semblait soumis à une sorte de torsion. Sans compter ce pic à glace qui entrait et sortait de mon testicule. Les sueurs froides perlant sur mes tempes, je m'efforçais de concentrer mon attention sur les portions de cognac et de rhum que j'envoyais dans le mélangeur. Si je levais les yeux, je voyais Michel au milieu de la cour qui se demandait pourquoi j'avais tout rasé, comment j'avais pu faire une chose pareille. Ou alors il essayait simplement de se convaincre de ne pas aller s'étendre au milieu de la rue.

— J'aimerais bien que tu oublies ton petit jeu et que tu viennes lui dire quelques mots.

— Désolé, question mots je suis en rupture de stock. Ça fait des années que je parle à Michel et qu'il écoute rien.

— Ça change, il est en train de changer.

— Moi aussi, figure-toi.

Elle m'a regardé comme si j'étais le dernier des abrutis.

— C'est ça, ta prétendue compassion ? Juste pour savoir, Édouard, quand tu nous casses les oreilles avec l'état du monde, et que tu t'indignes, et que tu soupires, au fond c'est pas que t'as envie d'agir, si je comprends bien, c'est que tu veux qu'on sache à quel point t'es un être sensible. C'est ça ?

C'en était fait d'elle et de moi, le lien unique qui nous unissait – notre amour pour Michel – se rompait là. Le regard oblique, la bouche légèrement dédaigneuse, elle est sortie en me balançant que Simone avait eu raison de ne pas venir.

Je me suis retrouvé seul au milieu d'un formidable gâchis. Le CD s'est terminé exactement à ce moment-là, et le silence s'est abattu sur moi comme la foudre. J'ai suivi Claire du regard. Je l'ai vue rejoindre Michel et prendre son bras. Ils ont fait quelques pas en discutant. Je crois qu'elle essayait de le convaincre que le jardin était beaucoup mieux comme ça. Elle désignait un coin puis un autre en lui expliquant je ne sais quoi, peut-être ce que je pourrais éventuellement y planter. Michel hochait la tête, plus ou moins intéressé.

Je suis monté aux toilettes prendre trois anti-inflammatoires puis je suis passé à la chambre enfiler des sous-vêtements plus amples. Par la fenêtre – sans vitre toujours –, j'ai vu Véronique aller rejoindre Claire et Michel.

Il y avait des années qu'ils ne s'étaient pas vus. Ils se sont embrassés avec beaucoup de conviction, Véronique serrant Michel bien fort contre elle. Tout en gardant une main sur son épaule, elle lui parlait tendrement, avec une certaine désinvolture mais sans pour autant manquer de délicatesse. J'imaginais qu'elle essayait de l'encourager. Et je suis sûr qu'elle avait et le ton et les mots qu'il fallait. Les larmes me sont montées aux yeux d'un seul coup. Ça faisait des siècles que je n'avais pas versé une goutte, comment pouvaient-elles émerger d'aussi loin en si peu de temps ? Qu'est-ce qu'il y avait dans cette image ? La maladie avait dépossédé Michel de son fard et de ses atours, et ce qu'il donnait à voir maintenant me ressemblait comme une goutte d'eau ressemble à une autre. De ma fenêtre, c'est un peu moi que j'apercevais, au milieu de la cour. Cette autre partie de moi que je n'avais jamais réussi à démuseler et que Michel, lui, faisait éclater au grand jour à chaque seconde – du moins jusqu'à il n'y a pas longtemps –, cette partie qui lui donnait la liberté de rire fort, de baiser deux filles à la fois, de soulever de terre les gens qu'il aimait et surtout la force d'en aimer plusieurs à la fois, cette partie qui faisait qu'il était prêt à tout pour protéger les siens contre la cruauté du monde, prêt même à la tricherie, au mensonge, à l'aveuglement, eh bien cette partie disparue, il ne restait plus qu'un autre moi, handicapé, inapte et non conforme.

J'ai descendu l'escalier, j'ai traversé la cuisine en m'appuyant tantôt sur le cadre de la porte, tantôt sur le comptoir, puis je suis sorti. Mon fils a levé la tête et son sourire s'est décomposé à la vue de l'expression que j'affichais. J'ai quitté la terrasse et je me suis approché. D'instinct, les filles se sont écartées. J'ai regardé Michel bien en face. Je voulais aller le repêcher au fin fond de sa torpeur. Les yeux dans les yeux, j'ai attendu qu'il s'extirpe de sa mélasse et, quand j'ai été convaincu de l'avoir à moi, je l'ai attrapé par la nuque et j'ai ramené sa grosse tête sur mon épaule. Il s'est mis à pleurnicher.

— J'ai peur, Édouard, je comprends pas ce qui m'arrive.

Je crois en réalité qu'il le comprenait trop bien. Et j'imaginais à quoi il pouvait penser. Il avait le choix en fait : son frère de quatorze ans pendu dans la grange ; Betty sortant de l'hôpital dans son fauteuil roulant poussé par sa mère accablée mais si vivante ; les hurlements de son père dans la forêt ; sa mère défigurée par des heures et des jours et des mois de chagrin et enfin Eddy, onze ans, immobile au milieu d'une maison vide. Bref tout ce qu'il avait refusé de regarder en face durant sa vie d'adulte, la maudite condition humaine, toutes ces souffrances, et la sienne surtout. Surtout la sienne.

Il ouvrait finalement ses satanés yeux d'oculiste sur la dureté du monde.

— T'es pas tout seul, Michel, t'inquiète pas, on va te sortir de là.

— Quoi, qu'est-ce que tu dis ?

Et au moment où ses yeux s'ouvraient, étrangement, ses oreilles se bouchaient.

24

Mes invités partis, je me suis frayé un chemin entre les bouteilles vides et les cadavres d'ananas pour aller mettre la main sur un sac de petits pois surgelés. Une fois au salon, j'ai constaté que le téléviseur et la chaîne stéréo avaient disparu. Fabuleux, quelqu'un avait profité de ce que nous étions tous au jardin pour remettre à neuf son équipement audiovisuel. Cette petite fête aurait au moins servi à ça. Je me suis allongé sur le plancher, flambant nu, et j'ai posé le sac de pois sur mes testicules.

Le revolver dormait toujours dans la boîte à gants de la voiture, couché sur le côté avec ses quatre balles lovées à l'intérieur. Ces projectiles, je pourrais bien les faire passer du canon à ma tête, mais qu'est-ce que ça changerait exactement ? Ne s'y trouvaient-ils pas déjà d'une certaine façon ? De nouveau, l'extérieur et l'intérieur se confondaient, ne faisaient plus qu'un, chaque chose et son contraire se retournaient sur eux-mêmes et ce qu'on prenait pour la face cachée, en réalité, nous sautait au visage. Une fois le jeu de ce formidable palais des glaces découvert, il devenait de plus en plus facile de déterminer si nous étions toujours vivants ou déjà morts. L'idée de dresser une liste en deux colonnes, mort ou vif, et d'y inscrire tous ceux que je connaissais m'est venue. Et puis je me suis demandé si j'allais vraiment avoir besoin de deux colonnes.

La caresse du vent sur ma peau, sa présence enveloppante, a fini par me procurer un apaisement que je n'avais pas connu depuis longtemps. Le souffle frais balayait le plancher de la maison, époussetait les meubles – et moi par le fait même –, ionisait et désinfectait l'air. Aussitôt croyais-je saisir au passage une odeur familière, aussitôt était-elle à jamais chassée de chez moi. Quand la pluie s'est mise à tomber, de la rue m'est arrivé le parfum du bitume mouillé, et du jardin celui de la tourbe fraîche. Et tout ça se mêlait jusqu'à la confusion ici, dans mon humble salon. J'étais saoul et j'étais bien, j'avais surtout le sentiment du devoir accompli, celui d'avoir été au bout de quelque chose. J'avais eu envie de gifler le monde avec mes rognons stériles, de lui foutre un coup sur la gueule avec mes deux sacoches vides et je l'avais fait. Même si je n'en avais rien retiré. Sauf peut-être la main de mon fils sur mon épaule au moment de nous dire au revoir. Le vent s'est intensifié, projetant la pluie en salves à l'intérieur de la maison. Mes poils, mes cheveux se dressaient, ma peau se contractait, mais je n'avais pas froid. Quand j'ouvrais les yeux, et si je tournais la tête sur le côté, je pouvais voir le plancher de la salle à manger luire sous la pluie. En haut, à l'étage, tout devait être trempé. C'était parfait. C'était génial. Je n'espérais rien de moins qu'un déluge. Je rêvais de voir les meubles qui restaient, lits, commode, dévaler l'escalier, emportés par un torrent d'eau froide et vive. J'ai fermé les yeux encore quelques instants. Étrangement, quand je les ai rouverts, le jour se levait et un rai de soleil pénétrait obliquement dans la maison. Une odeur qu'on aurait pu baptiser « aurore dans la clairière » flottait dans la pièce. Elle devait venir de la cour. J'ai rigolé comme un cancre. « La clairière », elle était bien bonne celle-là. Le parfum a persisté quelque temps – cinq minutes ? une heure ? je ne sais pas – et, comme la chaleur s'élevait lentement, il s'est vite emmiellé. Même si la fatigue me paralysait, j'avais l'impression, alors que le mercure montait, de pouvoir sentir les pores de ma peau se distendre. Dans mes testicules, des millions de spermatozoïdes tourneraient désormais en rond sans jamais trouver la sortie. Était-ce véritablement ce que j'avais souhaité ? La totale et intégrale stérilité ? Mon esprit basculait par à-coups. J'étais présent de courts moments puis soudain tout disparaissait et j'étais précipité dans un monde de signes et de symboles. Quand je suis revenu à moi, tout avait encore changé, la lumière, filtrée par le sorbier d'Amérique de Véronique – après onze ans, voilà que je me rendais compte que ça rimait – plongeait, verdoyante, dans la maison. À la limite de l'éblouissement, j'ai posé une main sur mes yeux. Si fatigué. Si complètement fatigué. Une odeur musquée est passée puis l'étrange impression d'être observé m'a envahi. J'ai tourné la tête lentement. Un cerf de Virginie se tenait en alerte sur la terrasse, les oreilles dressées, le pelage blanchi par la lumière, prêt à fuir sur ses pattes graciles. Ses grands yeux cernés de noir me fixaient. De toute évidence, il avait envie d'entrer mais craignait d'être surpris par-derrière. C'est comme si j'avais attendu ce moment toute ma vie, je voulais entendre claquer ses onglons sur le plancher de bois, résonner ses pas incertains sur la surface glissante, et qu'il vienne jusqu'à moi. J'espérais son souffle sur mon visage, je voulais ressentir la chaleur qui émanait de son corps au métabolisme rapide et voir pulser son cœur sous la peau de son cou. Voir pulser son cœur. Betty vivait quelque part dans le monde avec ses jambes qui n'obéissaient plus. Elle avait trouvé un homme pour l'aimer. Elle circulait avec aisance dans une maison qu'il avait aménagée pour elle. Elle posait ses mains sur les roues de son fauteuil et elle poussait. Elle pouvait aussi freiner ou tourner sèchement pour aller répondre au téléphone ou pour arrêter un enfant prêt à commettre une bêtise avec le tiroir à ustensiles. Elle riait parfois à la vue d'une chose simple. Elle soupirait de bonheur facilement, peut-être en mangeant une tomate fraîche avec un filet d'huile. Le soir, après qu'ils avaient couché les enfants et rangé la cuisine, l'homme la déshabillait et la déposait dans un bain qu'il avait fait couler à son intention. Ensuite, soit il la portait jusqu'à la chambre, soit elle s'y rendait, nue, dans son fauteuil et là, elle se hissait sur le lit à la seule force de ses bras. Puis elle soulevait ses jambes une à une avec ses mains et elle s'allongeait, engourdie de cette fatigue bien bonne parce que bien physique. L'homme venait se blottir contre elle un peu plus tard et caressait ses cheveux, son cou et sa poitrine. Ses seins était devenus si sensibles. Toutes les sensations qu'elle n'avait plus dans la partie inférieure de son corps s'étaient concentrées dans la portion supérieure. Les seins de Betty sous les mains de l'homme, Betty aux anges, le sang qui afflue dans sa jolie vulve et le chatouillement et la chaleur caractéristiques qui l'accompagnent. Et la main de Betty qui s'en va fouiller dans l'entrejambe de l'homme et qui trouve un sexe bien dur. Il bande pour moi, dirait-elle, il bande pour moi et mon corps différent. Je suis désirée, je suis sauvée. Et la main de Betty qui s'active sur le sexe, qui le palpe afin de bien sentir la force et la vigueur et la fougue et l'impétuosité qu'elle fait naître, elle, Betty, par sa simple présence. Et ses yeux étincelants et sa respiration chaude qui s'accélère et son visage qui s'ouvre et sa tête qui bascule vers l'arrière jusqu'à s'arc-bouter dans le lit. Puis l'homme retire les couvertures et, délicatement, tout en la regardant dans la yeux, il écarte une à une ses jambes. Et Betty, maintenant appuyée sur ses coudes, l'observe déplacer ses membres qu'elle ne considère pas comme morts, ses jambes endormies ou tout simplement trop lourdes. Elle le regarde avec amusement, avec plaisir et même avec lubricité. C'est ça, écarte-moi, regarde mon ventre et mes cuisses, regarde ma chatte, désire-les, ouvre-les, je ne pourrai pas t'arrêter, sers-toi, use de moi, retourne-moi si tu veux, le ventre, le dos, le côté, je suis à toi, ta femme, ta possession de l'instant, l'objet du concentré de tous les désirs de toute ta vie. Et l'homme glisse son sexe dans le sien. *Les êtres humains se tuent; il faut aussi qu'ils s'unissent. Cela presse.* Et le bonheur arrive de partout, du ventre mais aussi des poitrines rapprochées, des cous qui se croisent, des lèvres soudées, mais surtout du carré de vie à deux qu'ils ont étendu par terre comme une couverture douce et invitante. Le chevreuil venait de passer la tête dans l'ouverture de la porte, mais la peur le clouait sur place. Allez, approche petit, je suis là, nu, déchargé de tout, des gens comme des usages, je suis cet enfant qui n'arrive pas à croire qu'il n'y a pas un seul autre moyen que la mort de disparaître à soi-même et qui cherche tant et tant de voies d'accès à la vie, de rampes d'approche, et qui met tout en œuvre pour en faire toute une histoire de sa vie, qui ne lésine pas sur les rebondissements, qui éclabousse tous ceux qui se trouvent sur son passage et qui en vient même à les éloigner pour que la distance finisse par se changer en absence et l'absence en vide, car dans le vide, rien ne témoigne plus de notre existence. Voilà, je me présente avec la fatigue de celui qui a saisi que cette vie est harassante quand on doit la vivre en orphelin. Seule et unique conviction après toutes ces années. Seule maudite certitude. Et enfin l'animal s'est décidé à faire quelques pas.

Il s'est arrêté près de la table de la salle à manger. Son regard fixé sur moi alors que tout son corps restait en état d'alerte. J'ai tout inventé, personne ne fait l'amour à Betty. Betty n'a pas fait l'amour depuis vingt et un ans. La dernière fois, c'était avec moi. Maintenant elle vit claustrée dans sa chambre. Son père est mort, laissant le champ libre à sa mère qui a pu finir de s'emparer d'elle. Elle l'a mangée. Betty est laide et méchante maintenant. Elle ne rêve plus que d'une chose: tuer sa mère. Elle fantasme des scènes d'une extrême violence, des meurtres sanguinolents la mettant en scène avec, à la main, les ciseaux qu'utilise sa mère pour découper le tissu dans lequel elle fabrique leurs vêtements moches et mal foutus. Et le monde entier que Betty voulait découvrir, et fouler de ses propres pieds, et juger sévèrement mais aimer aussi à la folie, n'entendra jamais parler d'elle. Petite sœur jumelle, tout aussi orpheline, tout aussi oubliée, il n'y a pas d'homme qui te regarde avec amour, pas d'homme qui a compris que parfois le monde fait si mal qu'il faut inventer pour ceux qu'on aime un nouveau monde, plus petit, de la taille d'une famille peut-être, pour éloigner la souffrance, le mépris et l'indifférence.

Soudain j'ai senti le souffle chaud de l'animal sur mon visage. J'ai ouvert les paupières brusquement. Il était là, à quelques centimètres de moi, et ses grands yeux m'embrassaient tout entier. Mon cœur s'est mis à cogner dans ma poitrine. Ses glandes surrénales pissaient l'adrénaline et je pouvais, à distance, flairer son extrême fébrilité. Nous en étions au même point. Nos deux mondes faisaient plus que se toucher, ils se mêlaient, se confondaient, n'en formaient plus qu'un. Édouard animal étrange, animal sauvage, animal fiévreux et agité. Je l'ai fixé longuement. J'ai même failli lever la main pour caresser son museau, mais j'étais si fatigué.

D'une lassitude qui jaillissait du centre de toutes choses. Le cerf s'est brouillé peu à peu jusqu'à ce qu'une puissante vague noire me renverse.

— Édouard ?

Son corps tournoie dans le vide. Il roule sur lui-même en filant dans un monde obscur et parfaitement silencieux. Il lui faudrait beaucoup plus qu'entendre résonner son nom pour revenir de si loin.

— Édouard?

Et puis peut-être pas. Malgré son immense fatigue, il choisit de regrouper ses forces et il le fait comme on ramasse du verre brisé, éclat par éclat, lentement, patiemment, avec le soin et le recueillement de l'artisan qui décore le tombeau d'un souverain. Puis, dans la noirceur liquide, dans ce composé abstrait, il projette son torse et sa tête vers l'avant et ses yeux se rouvrent définitivement.

Simone se tient immobile, debout près de lui. Simone et son corps fraîchement délié. Édouard est étendu à ses pieds, flambant nu, avec un sac de petits pois liquéfiés sur les testicules. Il ne distingue pas l'expression de son visage, ses paupières pèsent trop lourd et un excès de liquide brouille sa vue.

— Charmant, ton costume, dit-elle.

Poussée par une sorte de commandement intérieur, Simone s'agenouille devant lui. Du coup, Édouard y voit plus clair.

— Je peux ? dit-elle en prenant le sac de petits pois par une extrémité.

— Sers-toi...

Elle le soulève pour examiner le travail. Comme Édouard n'a pas la force de lever la tête pour juger lui aussi du spectacle, il décide de se fier à l'expression de son visage. En l'occurrence une toute petite grimace.

— T'es content au moins ?

— Je sais pas, on dirait que je commence à douter.

— T'as froid ? Tu veux que je t'apporte une couverture ?

Édouard ne veut rien, tout est parfait. Simone se lève et fait quelques pas dans la pièce tandis qu'il la suit des yeux. Il tente de se redresser, mais les forces lui manquent au tiers du mouvement et sa tête de cent kilos retombe sur le plancher. Il n'est pas encore tout à fait vivant, mais il y arrivera bientôt.

— J'aime bien ce que tu as fait de ton intérieur, dit-elle en montrant les trous à la place des fenêtres et des portes, c'est ça qu'ils appellent une maison à aire ouverte ?

Il repense à ses seins, à ses fesses et à son ventre généreux. Puis à toute cette tristesse qui voletait dans sa chambre à coucher pendant qu'ils faisaient l'amour. Cette tristesse en filaments qui dansait au-dessus d'eux. Il s'était demandé s'il s'agissait de celle de Simone ou de la sienne. Aujourd'hui, il a l'impression qu'elle était constituée de leurs deux peines emmêlées.

— Est-ce que tu m'en veux, Simone ?

— Je n'ai pas envie de parler, je suis fatiguée, t'as vu l'heure ?

Simone tient à ce que le monde se présente tel qu'il est. Elle n'accepte aucune ambiguïté, aucun mensonge, aucun faux-semblant. Sa perception de la vie est vaguement cubiste ; elle veut voir toutes les faces en même temps, les laides comme les belles, celles qui arrachent le cœur comme celles qui l'apaisent. Édouard est donc étonné qu'ils n'aient rien à tirer au clair. Peut-être que tout l'est déjà pour elle.

— Est-ce que je peux m'étendre aussi?

Il l'invite à faire comme chez elle et Simone s'installe près de lui, sur le plancher. Après un temps et quelques calmes respirations, ces mots sortent de sa bouche à elle aussi simplement qu'un air qu'on chantonne en cousant ou en jardinant:

— Je n'ai pas peur de toi, Édouard.

C'est la seule chose d'importance qu'ils se disent. Édouard tourne la tête. Elle fait de même et ils se retrouvent nez à nez. Elle lui demande s'il a quelque chose de prévu, s'il a envie de passer un bout de journée avec elle.

— On pourrait s'acheter des cigarettes et vivre dangereusement, dit-il.

Simone est plutôt d'accord. Ça fait des années qu'elle n'a pas fumé. À une certaine époque, plusieurs prétendaient que c'était mauvais pour la santé. Sans trop s'interroger, elle avait peu à peu délaissé ce petit plaisir.

Ils conviennent d'y aller à pied. Édouard enfile ses vêtements avec précaution afin de ne pas brusquer son testicule – qui a tout de même passablement désenflé. Avant de franchir la porte, il s'arrête pour réfléchir un instant. Il regarde la cour, magnifique carré vert rasé de près, étincelant de rosée, net, propre et civilisé, puis la maison encore sombre, humide et sauvage. Transfiguration est le mot qui éclate dans sa tête.

— Tu viens? dit-elle.

— Il me semble que j'oublie quelque chose...

Quelques billets fripés traînent pourtant au fond de sa poche. Ses clés s'y trouvent aussi, même si elles ne sont plus d'aucune utilité. Mais alors, qu'est-ce qui peut bien lui manquer ?

Puis ça lui revient.

— Oh, rappelle-moi de nourrir mes larves en revenant.

— Je vais essayer. Mais j'ignorais que t'élevais encore des insectes.

— Juste quelques arpenteuses de Bruce, dit-il. Ça peut toujours servir.

C'est vrai qu'on ne sait jamais.